CONTAGEM REGRESSIVA

TENENTE-CORONEL EDSON MELO

CONTAGEM REGRESSIVA

A TRAJETÓRIA DA CAÇADA A LÁZARO BARBOSA

CONHEÇA NOSSO LIVROS ACESSANDO AQUI!

Copyright © 2022 Edson Luis Souza Melo.
Obra original produzida por Editora Plataforma
Direitos reservados e protegidos pela lei 9.610 de 19.2.1998.
Nenhuma parte deste livro pode ser reproduzida, arquivada em sistema de busca ou transmitida por qualquer meio, seja ele eletrônico, xérox, gravação ou outros, sem prévia autorização do detentor dos direitos, e não pode circular encadernada ou encapada de maneira distinta daquela em que foi publicada, ou sem que as mesmas condições sejam impostas aos compradores subsequentes.
1ª Impressão em 2022

Presidente: Paulo Roberto Houch
MTB 0083982/SP

Publisher: Elisângela Freitas
Editor: Cristian Fernandes
Assessoria editorial: Larissa Oliveira
Preparação: Ivana Mazetti
Revisão: Thais Teixeira Monteiro
Apoio Editorial: Daiane Battistel e Wilma Kelly Gomes
Projeto gráfico, diagramação e arte-final: André Stenico
Capa: Mariana Siles
Foto da capa: Luis Silverio

Vendas: Tel.: (11) 3393-7727 (comercial2@editoraonline.com.br)

Impresso no Brasil.
Foi feito o depósito legal.

Dados Internacionais de Catalogação na Publicação (CIP) de acordo com ISBD

M528c	Melo, Tenente-Coronel Edson
	Contagem Regressiva / Tenente-Coronel Edson Melo. - Barueri : Camelot Editora, 2022.
	240 p. ; 16cm x 23cm.
	ISBN: 978-65-80921-29-4
	1. Literatura brasileira. 2. Relato. 3. Lázaro Barbosa. 4. Serial killer. 5. Não ficção. I. Título.
2022-674	CDD 869.8992
	CDU 821.134.3(81)

Elaborado por Vagner Rodolfo da Silva - CRB-8/9410

Direitos reservados à
IBC — Instituto Brasileiro de Cultura LTDA
CNPJ 04.207.648/0001-94
Avenida Juruá, 762 — Alphaville Industrial
CEP. 06455-010 — Barueri/SP
www.editoraonline.com.br

Dedico esta obra ao meu amado filho Davi
Lucas do Prado Rocha Melo de Araújo e a todos
os policiais – homens e mulheres de valor – que
se esforçaram e contribuíram de maneira ímpar
para o desfecho de uma longa e árdua operação.
A vontade de cada um em permanecer na força-
-tarefa foi fundamental para restabelecer a ordem
e a tranquilidade da população em Goiás e, sem
dúvida, em todo o país.

AGRADECIMENTOS

Em primeiro lugar agradeço a Deus, que me chamou para uma missão e me deu sabedoria e força para cumpri-la até o fim.

À minha família que, mesmo sabendo que se tratava de uma busca com tantos riscos e obstáculos, me apoiou. Tenho convicção de que a proteção divina que me acompanhou pelos caminhos que percorri veio das orações dos meus familiares, os quais eu levava em meu coração.

Aos meus companheiros de equipe, Capitão Alvim, Subtenente Franco, Subtenente Arantes, Subtenente De Paula, Subtenente Ronyeder, 1º Sargento Barreto, 1º Sargento Joubert e 3º Sargento Teófilo. Vocês têm meu eterno reconhecimento pela dedicação à tarefa de capturar um foragido de extrema violência e devolver a paz à região onde o criminoso atuou tão covardemente.

AGRADECIMENTOS

Ao Governador, Ronaldo Caiado, que disponibilizou a estrutura da Casa Militar para integrar a operação. O reconhecimento e o respeito devotados às forças de segurança estão sendo ponderosos na história da Segurança Pública de Goiás.

À primeira-dama, presidente do Grupo Técnico Social de Goiás (GTS) e presidente de honra da Organização das Voluntárias de Goiás (OVG), Gracinha Caiado, que deu suporte com a doação de mantimentos, colchões e cobertores. A assistência aos guerreiros foi de uma legítima madrinha das forças de segurança de Goiás.

AGRADECIMENTOS

Ao Secretário de Segurança Pública do Estado de Goiás, Rodney Rocha Miranda, que coordenou a força-tarefa de forma ininterrupta. A experiência que o levou para o comando da operação se tornou essencial para que o trabalho fosse realizado de forma integrada entre todas as forças.

Ao Secretário de Segurança Pública do Distrito Federal, Júlio Danilo, que apoiou a operação, dispondo a tropa da Polícia Militar, da Polícia Civil e do Corpo de Bombeiros Militar, todos do DF.

À Secretaria de Administração Penitenciária do Distrito Federal (SEAPE), que encaminhou equipes da Polícia Penal e radiocomunicadores, contribuindo de forma ímpar na ação.

AGRADECIMENTOS

À Secretaria de Polícia Militar do Rio de Janeiro (SEPM), que colaborou com equipamentos tecnológicos usados pelas equipes empenhadas na captura.

À Polícia Federal (PF), pela disponibilização de agentes do Comando de Operações Táticas (COT), que se dedicaram verdadeiramente à missão e tiveram uma participação valorosa na força-tarefa.

À Polícia Rodoviária Federal (PRF), pelo emprego de agentes que realizaram bloqueios e fiscalizações, 24 horas por dia, nas rodovias federais que davam acesso à região onde aconteciam as buscas.

À Agência Brasileira de Inteligência (ABIN), que destinou recursos humanos e tecnológicos para integrar a operação.

AGRADECIMENTOS

À Receita Federal (RFB), que cedeu aeronaves remotamente pilotadas (*drones*), de alta tecnologia e visão noturna, para auxiliar nas varreduras que eram realizadas à noite.

Ao Comandante-Geral da Polícia Militar de Goiás (PMGO), Coronel Renato Brum dos Santos, que tão bem comanda a gloriosa corporação. A presença contínua na base da operação, a confiança dada a mim e o apoio irrestrito foram, indiscutivelmente, uma injeção de ânimo a nossa equipe e a toda a tropa. A integridade e a seriedade que comandam a tropa ficarão para a história.

Ao Subcomandante-Geral da Polícia Militar de Goiás, Coronel André Henrique Avelar de Sousa, que tanto se empenhou na força-tarefa e se dedicou inteiramente à missão. Para além da força-tarefa, é um líder que agrega valor ao alto comando da PMGO, pela honradez do trabalho à frente desta corporação.

AGRADECIMENTOS

Ao Comandante-Geral do Corpo de Bombeiros Militar de Goiás (CBMGO), Coronel Esmeraldino Jacinto Lemos, que auxiliou a operação com o emprego da tropa, dos cães farejadores e da aeronave da corporação.

Ao Delegado-Geral da Polícia Civil de Goiás (PCGO), Alexandre Pinto Lourenço, que encaminhou equipes da Polícia Judiciária para a realização de levantamentos de inteligência, investigação e mapeamentos estratégicos que somaram para o bom êxito da operação.

Ao Coronel Henrikson de Souza Lima, que hoje está na reserva, mas que tanto contribuiu com a coordenação operacional da ação, estando à frente do Comando de Missões Especiais da PMGO.

AGRADECIMENTOS

Ao Coronel Daniel Pires Aleixo, ao Tenente-
-Coronel Pedro Henrique Batista e ao Tenente-
-Coronel Rodrigo Barbosa, que não mediram
esforços para desempenhar trabalhos estratégicos e
fundamentais, a fim de que a missão de recapturar o
foragido fosse cumprida.

Ao superintendente da Polícia Técnico-Científica
de Goiás, Marcos Egberto Brasil de Melo, pela
contribuição com a operação, encaminhando
equipes que realizaram um trabalho com tanta
dedicação e brilhantismo.

Ao psicólogo criminal Leonardo Ferreira Faria,
mestre em Ciências Criminológicas-Forenses,
especialista em Neuropsicologia, Criminologia e
Psicologia Jurídica, destaque nacional na atividade
desempenhada na Polícia Técnico-Científica
goiana e que contribuiu com tanto esmero à
missão dada a ele sobre o caso Lázaro.

AGRADECIMENTOS

Ao superintendente de Polícia Judiciária da PCGO, Reinaldo Koshiyama de Almeida; ao gerente de Planejamento Operacional, Rilmo Braga Cruz Júnior, e à delegada Rafaela Azzi, que estiveram presentes na base de operação, dando um suporte imprescindível para o bom êxito da caçada.

À chefe de comunicação setorial da Secretaria de Segurança Pública de Goiás, Larissa Oliveira, que esteve presente na base de operações durante todo o período de busca e, junto à coordenação da força-tarefa, repassava informações estratégicas para a imprensa nacional, além de exercer o importante papel de desconstruir falsas notícias (*fake news*) que eram veiculadas.

AGRADECIMENTOS

Ao amigo Jorge Caiado, pelo apoio dado a minha equipe no tempo em que estivemos empenhados na procura. O conhecimento técnico, policial, o amparo emocional e a presença, por meio das inúmeras manifestações de incentivo, foram valiosos.

Aos amigos Henrique e Juliano, que colocaram à disposição da operação o helicóptero da dupla, embora não tenha sido usado em razão do grande recurso logístico e operacional oferecido pelas forças de segurança envolvidas. Realmente, vocês se mostraram grandes parceiros, admiradores e apoiadores do nosso trabalho.

Por fim, o meu muito obrigado a todos os demais bravos guerreiros que estiveram conosco durante as buscas ao criminoso Lázaro Barbosa.

SUMÁRIO

PREFÁCIO, **21**

APRESENTAÇÃO, **25**

INTRODUÇÃO, **29**

CONTAGEM REGRESSIVA, **33**

1 – O SINAL, **35**

2 – AS CAMPANAS, **41**

3 – VOCÊS SÃO A CAÇA OU O CAÇADOR?, **59**

4 – FIO DESENCAPADO, **65**

5 – ALVORADA!, **79**

6 – CETICISMO X MAGIA NEGRA, **87**

7 – À ESPREITA, **95**

8 – FORÇA-TAREFA: ENTENDA O INÍCIO, **103**

9 – AGULHA NO PALHEIRO, **127**

10 – APORTES TECNOLÓGICOS, **133**

11 – O CONFRONTO FINAL, **139**

12 – APOIO ÀS FORÇAS DE SEGURANÇA PÚBLICA, **153**

REFERÊNCIAS, **163**

APÊNDICES, **165**

1 – DOCUMENTOS
FOTOGRÁFICOS, **167**

2 – BARBÁRIES EM SÉRIE, **179**

3 – O COMPORTAMENTO
DE LÁZARO, **191**

4 – EQUIPE DA SECRETARIA
DA CASA MILITAR DE GOIÁS
– DEPOIMENTOS, **205**

5 – UNIDADES ESPECIALIZADAS
E SUAS COMPETÊNCIAS, **211**

6 – HÁ 25 ANOS..., **221**

7 – OVELHAS, LOBOS
E CÃES PASTORES, **225**

8 - ORAÇÃO DO
BATALHÃO DE ROTAM, **235**

PREFÁCIO

CAROS LEITORES,

Esta é uma obra fruto da explanação de uma sequência de fatos e ações – num contexto técnico, tático e estratégico de operações policiais – que propiciaram o cerco, a localização e o enfrentamento na tentativa de prisão do hediondo criminoso Lázaro. Digo tentativa, pois foi outro o final.

Em palavras breves, inicio retratando alguns aspectos intrínsecos do perfil profissiográfico pessoal do autor, Tenente-Coronel Edson Melo. Atributos próprios, entrelaçados num caráter firmado na determinação, obstinação e espírito aguerrido, além da experiência no campo operacional especializado, fazem do autor alguém que acreditou e buscou tal desfecho.

Preambular sobre tal narrativa, tendo atuado diretamente com outros profissionais no gerenciamento dessa longa crise, obriga-me a evidenciar o quão imprescindível e inestimável foi a atuação de cada operador de segurança pública envolvido naquela complexa operação.

Lázaro Barbosa aterrorizou, torturou e matou; Lázaro Barbosa não parou, continuou a espalhar terror por onde passava e, mesmo com a força-tarefa em andamento, tentou matar novamente, empenhou-se em fugir, sair ileso, mas houve intervenção imediata, desde seu primeiro ato covarde, de homens e mulheres de inestimável valor.

Não se tratava de desejos puramente humanos tão somente; havia uma guerra, também, do bem contra o mal; existia uma guerra espiritual. Com coragem e abnegação inquebrantáveis, profissionais das forças de segurança lançaram-se no terreno, recompuseram-se o mínimo necessário, fosse no relento, nas bases operacionais improvisadas, fosse no próprio terreno, este inóspito e quase nada conhecido pelos operadores. Recompunham-se e voltavam.

Com mais de trinta anos de polícia, jamais havia experimentado e presenciado tamanha integração e devoção como a de todos que atuaram naqueles dias de operação. Tecnologia, equipamentos modernos, estratégias, ações de inteligência complementaram a inabalável intenção de localizar e prender o facínora.

O desfecho foi diferente. Não houve prisão. O ímpeto do criminoso não era o de se entregar. Dentre todos, comandantes, chefes de polícia, operadores e outros mais, ecoava uma vontade única: Lázaro Barbosa vai ser localizado!

Eis que surge uma patrulha de policiais militares liderados pelo Tenente-Coronel Edson Melo, que vinha operando no terreno, insistindo em seu desiderato, e consumou-se: "trombou com o procurado e houve o confronto".

Os atos finais dessa grande operação decorrem do esforço de todos os que lá estiveram, inclusive da comunidade local, que tanto fez pela permanência de aguerridos homens e mulheres até que a caçada chegasse ao fim. O caso foi resolvido e a paz dos cidadãos daquela região foi restabelecida.

Leitores, surpreendam-se com pormenores intrigantes desta jornada policial!

Coronel Renato Brum dos Santos
Comandante-Geral da
Polícia Militar do Estado de Goiás

APRESENTAÇÃO

CARO LEITOR,

Coube a mim o papel de dizer que este livro reúne ingredientes de uma história sem os quais seria impossível parar um homem com espírito demoníaco e com o poder de fogo nas mãos. São eles: coragem, prontidão e desígnio de Deus. Explicarei a seguir.

Coragem, porque sem ela nenhum homem sairia do conforto de seu lar em busca do bem comum. Estando em segurança, sem nenhum afeto seu correndo risco de morte e com um assassino aterrorizando a todos que cruzassem seu caminho, você iria de encontro a ele ou se protegeria? Não tenha receio de ser sincero ao responder. Essa missão é reservada aos que foram forjados para ela.

Prontidão, pois – sempre que algo grave acontece – são eles, os policiais, que estão prontos. Neste já seleto grupo, há outro ainda mais restrito: os que são um tanto quanto abnegados e preparados. Você imaginaria que a equipe que caçou Lázaro Barbosa não tinha tal obrigação profissional, mas sim vocacional? Ao ler este livro, você entenderá a essência da palavra prontidão e do chamado que o policial que tem a segurança pública correndo nas veias ouve toda vez que a missão o invoca.

É aí que entra o terceiro ingrediente deste livro, que julgo o mais importante de todos: o desígnio de Deus. Os nove heróis que devolveram a paz para a sociedade de Goiás – amparados por todos os homens e mulheres envolvidos nessa missão, dando a resposta que a Nação aguardava ansiosamente, muitas vezes sendo até injusta na cobrança exacerbada sem conhecimento de causa – têm um ponto em comum: o sinal. É o que você vai descobrir.

Homens que fecharam os ouvidos para os aproveitadores que levantaram um coro contra a polícia, dizendo-se especialistas em segurança pública, mas que na verdade pouco sabiam sobre as buscas. Na mesma medida, acirraram a audição quando um homem simples da roça lhes falava. A preciosidade desta história está também neste ponto: saber a quem ouvir, quando ouvir, à medida que se pratica o silêncio.

É uma grande honra prefaciar este livro por conta da história da maior caçada de que se tem notícias a um foragido no Brasil e também por um motivo muito particular. O Tenente-Coronel Edson e eu temos uma ligação atemporal, advinda de uma mesma matriz operacional. Ele é policial de ROTAM e sempre será, da mesma maneira que em meu sangue corre a ROTA – Rondas Ostensivas Tobias de Aguiar, que – do Estado de São Paulo – serviu de berço para o raio imortal de Goiás, a gloriosa ROTAM, a qual pulsava no coração de cada um dos nove predestinados. Esqueça tudo o que você acompanhou sobre as buscas de Lázaro e prepare-se para conhecer o ângulo da história que pouca gente divulgou ou sabe: o som de dentro da mata. Boa leitura!

Capitão Guilherme Muraro Derrite
Policial Militar de São Paulo e
Deputado Federal por São Paulo

INTRODUÇÃO

NO PERÍODO EM que ocorreu a força-tarefa para capturar Lázaro Barbosa, 14 a 28 de junho de 2021, e no decorrer da produção deste livro, eu não estava ligado à Secretaria de Segurança Pública (SSP-GO), mas sim à Secretaria de Estado da Casa Militar (SECAMI), na Superintendência de Segurança Militar. Isso significa que eu não fazia parte das tropas envolvidas no caso, e por isso não havia razão para que eu fosse escalado para a operação. Mas o sangue policial corre em minhas veias. Era difícil, quase impossível, acompanhar de longe o desenrolar de uma busca tão complexa de um criminoso psicopata, que havia tirado a paz de tantos cidadãos de bem. O julgamento da mídia, gerando uma pressão injusta e descabida por um rápido resultado, me deixou desconfortável, por saber da competência e dedicação imensurável dos policiais envolvidos na caçada.

Um cenário começou a se formar diante dos nossos olhos: helicópteros, armamentos pesados, cães farejadores, óculos de visão noturna, *drones* de alta tecnologia e rádios de última geração estavam a caminho para suporte da operação.

Centenas de profissionais de segurança pública empenhados: civis, militares, bombeiros, rodoviários federais, analistas de inteligência, federais, além de integrantes de outras agências. No segundo dia de força-tarefa, um policial militar foi baleado. E o criminoso em fuga, numa região em que o relevo dificultava a ação de captura. Além disso, inúmeros jornalistas de todos os meios de comunicação possíveis, desde emissoras de massa a páginas virtuais, transmitiam em tempo real cada passo do trabalho.

Era perceptível o interesse nas notícias relacionadas ao caso Lázaro. Eu acompanhava os telejornais locais e nacionais. A impressão era a de que o sentimento de medo se alastrava. Entre um comentário e outro que eu ouvia, sentia que as pessoas acreditavam ser possível que Lázaro escapasse do cerco que havia sido montado e aparecesse repentinamente em qualquer outro lugar do país. Nas redes sociais circulava uma quantidade considerável de informação – e até conteúdo humorístico – a respeito dele, e isso mexeu bastante com o imaginário coletivo. Agências internacionais de notícias, como Reuters, BBC, o jornal espanhol *El País* e o jornal francês *Le Figaro* também divulgaram o caso.

Em Goiás, o pacato município de Cocalzinho e seus distritos tiveram sua rotina mudada drasticamente depois que Lázaro se refugiou na região para escapar das forças de segurança. Em meio ao vai e vem de viaturas, famílias abandonaram suas casas nas fazendas. O que mais me enfurecia era ouvir críticas a uma corporação como a Polícia Militar do Estado de Goiás, vindas de charlatões que se apresentavam como especialistas em Segurança Pública. À medida que os dias passavam e o criminoso permanecia escondido, tais críticos que nunca separaram, sequer, briga de vizinho, começaram a dizer que a polícia de Goiás não conseguiria capturá-lo. A justificativa utilizada por eles, embasada em conhecimento algum, era de que tropa não era preparada para atuar em área de mata e que seria necessária uma intervenção do Exército Brasileiro. Para mim foi um tapa na cara. Eu estava sendo diretamente agredido por tantos absurdos ditos sobre uma ação que exigia paciência, cautela e, acima de tudo, conhecimento técnico-operacional. Estava acontecendo a maior caçada policial vivida no Brasil após a era da internet.

Até então eu continuava exercendo minhas responsabilidades dentro do que previa minha função na Secretaria de Estado da Casa Militar. À medida que os dias foram passando, eu percebi que estava completamente envolvido com a ocorrência e não conseguia me ver em outro lugar a não ser embrenhado no mato da zona rural de Cocalzinho de Goiás, onde aconteciam as buscas. Eu nasci para ser policial e sou policial por amor à causa. Nenhum exercício de imaginação era possível tirar de mim a sede que me corroía por dentro para, junto dos meus irmãos de farda, ir à caça de um assassino frio e cruel. Modéstia à parte, reconheço que carrego em meu currículo operacional ocorrências de grande complexidade.

No sétimo dia após a chacina que aconteceu em Ceilândia (DF), um sentimento de que eu estava em débito com minha incumbência de contribuir com a proteção do cidadão de bem que confia sua segurança, consequentemente a vida, em nossas mãos, começou a tomar conta de mim. Assim que cheguei em casa fiz uma oração. Somente Deus poderia me direcionar e me mostrar a decisão que deveria ser tomada. Durante o meu momento com o Sagrado, eu pedi um sinal. Roguei ao Pai que me mostrasse em sonho o caminho que eu deveria seguir:

"Deus Pai, o Senhor que sempre me guiou e me protegeu em todas as minhas missões policiais, de todos os níveis de complexidade, em que, por vezes, minha vida esteve em risco, rogo para que, se for da tua vontade, seja revelada em sonho e de forma clara a minha ida para essa operação."

Foi nessa noite que começou a *Contagem regressiva* para que a população de bem daquela região fosse libertada dos horrores provocados pela presença de Lázaro Barbosa de Sousa.

Boa leitura!

TENENTE-CORONEL
EDSON MELO

INICIANDO A CONTAGEM REGRESSIVA

O SINAL

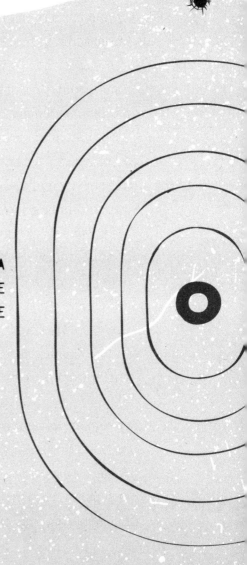

UM POVO SEM A CONDUÇÃO DE UMA RELIGIÃO É COMO UM GRUPO DE GUERRILHEIROS SEM O INTERESSE DE GANHAR UMA BATALHA.

ERA NOITE. O céu estava tampado por nuvens. Na minha frente uma casa simples, já envelhecida pelo tempo. As paredes haviam sido somente chapiscadas com cimento, sem qualquer tipo de acabamento. A porta de veneziana estava enferrujada. Do lado direito, uma janela marrom igualmente velha. O silêncio, que fora interrompido pelos meus passos rumo à casa, sugeria que algo estava prestes a acontecer. Minha intuição indicava que alguém me esperava do lado de dentro. Algo me dizia que havia uma pessoa disposta a me matar.

Num lapso menor que um segundo, a visão que eu estava tendo daquele momento mudou inexplicavelmente. A sensação era de que meu espírito havia saído do meu corpo para me mostrar aquela cena numa terceira dimensão. Misteriosamente, as paredes – do ângulo que aquela visão me proporcionava – caíram. Minha estrutura física continuava no mesmo lugar, eu estava em frente a Lázaro Barbosa, separado somente pela porta do casebre. O rosto era idêntico aos retratos divulgados pelas equipes de busca. O olhar direcionado a mim destilava fúria. Eu precisava reagir. Quando me posicionei para dar início ao adentramento à casa, despertei do sonho.

Eram três horas da manhã em ponto. O meu coração estava disparado. A adrenalina me fazia transpirar exacerbadamente. Naquele momento entendi o sinal que havia pedido a Deus durante minha oração. O dia clareou e eu já havia decidido: a farda estava pronta e o destino era Cocalzinho de Goiás. Eu já estava determinado e o planejamento traçado.

No universo nada é coincidência. Para tudo o que acontece há uma razão de ser. E como homem de fé que sou, acredito que atrás de cada manifestação existe um Deus que cuida de todos os detalhes. O número que representa a cronologia entre o sonho e o dia em que o criminoso psicopata mais cruel da última década foi confrontado pela nossa equipe carrega uma carga mística historicamente criada por crenças e superstições. Foram 13 dias entre uma data e outra. O imaginário popular sempre atribuiu temores e inseguranças relativos a esse número, cujos efeitos se assemelham àquilo que Lázaro Barbosa equivalia para a população dos locais por onde passava. Mas, desta vez, o número 13 marcou o começo da libertação e restauração da paz de uma sociedade.

E falando em números, o sonho que me enviou o sinal de que era vontade de Deus que eu integrasse a força-tarefa aconteceu exatamente sete dias depois da chacina em Ceilândia (DF). Segundo a numerologia, o 7 representa o místico e o oculto. Ele é considerado o número da perfeição, já que representa a ponte entre o físico e o espiritual. Esse estudo é realizado pelo esoterismo e recorre à simbologia dos números e às operações matemáticas com o intuito de estabelecer uma relação entre números, seres vivos, forças físicas, paranormais e até mesmo divinas, de forma a predizer as características de uma personalidade humana ou mesmo o destino de uma situação.

Esses aspectos esotéricos que apresento a vocês são uma forma de mostrar a gama de simbologias que indicavam que nossa missão já era bem-sucedida desde o momento em que foi definida a nossa ida a Cocalzinho de Goiás. Mas em relação às minhas crenças, o que certificou que estava validado o êxito da minha missão foi o sonho que veio como resposta à oração quando roguei a Deus que me enviasse um sinal, designando a decisão que por mim seria tomada.

PARA REFLETIR

Reflita sobre como está a sua vida com Deus. Você sabe qual é o seu propósito? Já recebeu algum sinal sobrenatural? Você tem conseguido ouvir a voz de Deus e perceber a direção em que Ele tem guiado a sua vida?

Muitas vezes somos incapazes de identificar os sinais, por falta de intimidade com Deus. Meu conselho neste momento é que você se aprofunde em sua relação com Ele e leia a Bíblia, que tal começar por Provérbios?

Converse mais com Ele, não há nada que seja impossível a Deus. Ele conhece todos os seus defeitos e virtudes, não há motivo algum para se esconder ou para omitir dEle o que quer que seja. Então aproveite essa condição e não se cale mais, seja franco e espontâneo. Garanto que Ele não vai julgá-lo.

Convide-o para fazer parte do seu cotidiano. Peça discernimento para você reconhecer os avisos dEle e clareza sobre a sua missão. Pois bem, agora reflita: O que você tem feito para se aproximar mais do Senhor?

AS CAMPANAS 2

NUMA BATALHA É INDISPENSÁVEL CONHECER O INIMIGO. SE VOCÊ SE DEVOTA A ESSA MISSÃO E RECONHECE O VALOR DE SUA EQUIPE, NÃO PRECISA TER MEDO DO RESULTADO DE NENHUM COMBATE.

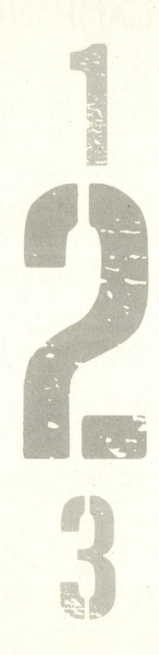

PARA SEGUIR A missão que tinha sido dada a mim na madrugada do dia 17 de junho, escolhi, com muito cuidado e minúcia, oito policiais que trabalhavam comigo na Secretaria da Casa Militar de Goiás, para integrar o grupo. Todos eram de minha absoluta confiança e de alta competência técnica. Analisei detalhadamente o perfil de cada um deles e muita coisa foi levada em conta para a composição do time. Todos, inclusive, já tinham feito parte do Batalhão de Rondas Ostensivas Táticas Metropolitanas, ROTAM. Assim que decidi quem seriam os escolhidos, fiz-lhes o convite. Dei a eles total liberdade para que decidissem se queriam ir ou não. Todos aceitaram o desafio com uma presteza admirável.

Em seguida fiz uma divisão das equipes. A primeira guarnição, composta pelo Subtenente Franco, Subtenente Arantes, 1º Sargento Barreto e o 3º Sargento Teófilo, sairia naquele dia, poucas horas depois da nossa reunião. A eles foi dada uma missão preestabelecida: reconhecer o perímetro de atuação das buscas e conseguir levantar a maior quantidade de informações possível sobre o caso para respaldar a segunda equipe.

A segunda guarnição partiria no dia seguinte, 18 de junho, uma sexta-feira. Ela era composta por Capitão Alvim, Subtenente De Paula, Subtenente Ronyeder, 1º Sargento Joubert e por mim. A atitude de fragmentar a nossa turma em dois grupos foi em razão de um compromisso que eu havia firmado em Goiânia, no dia 17, que era inadiável. De toda forma, nossa missão estava começando poucas horas depois do sinal que havia recebido por meio do sonho.

MATA ADENTRO

JÁ FAZIA QUATRO horas que o Subtenente Franco, o Subtenente Arantes, o 1º Sargento Barreto e o 3º Sargento Teófilo estavam andando mata adentro na zona rural do distrito de Girassol, a 48 km de Cocalzinho de Goiás. Era dia 17 de junho de 2021. Eles estavam carregando pistolas calibre .40, fuzis calibre 5.56 e munições em quantidade suficiente para cumprir a tarefa. Policial militar também é ser humano e também tem medo de morrer. Numa caçada como essa, o PM precisa escolher: ou se cala, ou se recolhe, ou vai para o embate. Nós já tínhamos definido nossa postura quando decidimos integrar a força-tarefa: estávamos prontos para guerrear.

Uma jornada ininterrupta para a captura de Lázaro Barbosa tinha sido iniciada pelos policiais da Secretaria da Casa Militar de Goiás. Aqueles PMs não imaginavam o que aconteceria daquele dia em diante. Nenhuma ocorrência da mais alta complexidade vivenciada por aqueles quatro homens era capaz de ser comparada ao que estava por vir nos próximos dias. Mas missão dada é missão a ser cumprida.

Quando a primeira equipe chegou a Girassol foi direto ao centro de apoio às aeronaves, que funcionava num campo de futebol da cidade, para se encontrar com o Serviço Aéreo do Estado de Goiás (SAEG), sob o comando do Major Regys.

Foi dada a ordem para iniciar as varreduras. A equipe tinha acabado de ser direcionada ao endereço de uma casa de religião de descendência africana. Tinha chegado à base operacional a denúncia de que o fugitivo poderia estar se escondendo no local. Os policiais então seguiram para as coordenadas do *Ilê* – nome em iorubá dado a esse tipo de casa religiosa – que estava sob suspeita. Por ser uma religião de prática principalmente noturna, a casa estava trancada. Policial militar não entra em local suspeito atirando. As condutas de patrulha não admitem erro. A equipe realizou um adentramento técnico e seguindo o que determina a doutrina. Do lado de dentro, uma mulher que se dizia responsável pelo local recebeu os policiais. Acompanhados da proprietária, todos os cômodos foram minuciosamente vasculhados e nenhum sinal do indivíduo foi encontrado.

Moradores da região não se cansavam de relatar histórias de envolvimento do criminoso com magia negra e vários tipos de seitas. Além da adrenalina gerada pela caçada, as equipes ainda tinham que lidar com os causos populares que não paravam de ganhar notoriedade. A veracidade da crença do criminoso não interessava aos militares. Mas lidar com a mística e a periculosidade da missão exigia muita firmeza de cada um deles.

Eu já disse não acreditar em coincidência. Mas o que aconteceu, assim que a equipe saiu do ambiente, deixou o grupo um pouco reflexivo: uma presilha com a imagem de Nossa Senhora Aparecida, que estava afixada no fiel – cordão que prende a pistola ao cinto utilizado pelos militares – da arma do Subtenente Arantes, quebrou sem qualquer explicação tangível. No entanto o fato não dispersou o foco do grupo e os militares seguiram caminho.

Terminada a varredura, os quatro policiais retornaram à base de operações em Girassol, na tentativa de secar fardas, coturnos e meias que se molharam durante as incursões. Em questão de minutos, uma nova informação. Chegou ao núcleo de comando e controle a indicação de que Lázaro havia sido visto em um pasto que dividia o distrito de Girassol e Águas Lindas de Goiás. O Tenente-Coronel Espíndola, do Batalhão de Policiamento com Cães (BPCães), deu detalhes do momento:

"Estávamos na base de operações e ficamos sabendo dessa possível localização de Lázaro. Imediatamente começamos a patrulha. Colocamos os cães nas coordenadas que nos foram dadas e fomos seguindo o rastro que o cão Chacal ia indicando (essa raça, pastor-belga-malinois, tem a característica de, quando encontra o alvo, ir para cima com muita força). O terreno era bastante acidentado e cada vez mais nos aproximávamos da área de mata fechada. O cão deu sinal de que o alvo estava perto e de repente parou. Em questão de segundos, escutamos um disparo e avistamos Lázaro a cerca de uns 10 metros de nós. Revidamos na direção dele e vimos que ele se embrenhou no mato. Acreditamos que ele não foi atingido, porque continuou sua fuga normalmente. Com os barulhos dos disparos, que foram muitos, o cão se perdeu, ficou mais lento e não teve o mesmo rendimento de antes do primeiro estampido. As buscas seguiram por uma hora e meia, mas anoiteceu e a determinação era que não operássemos à noite."

Tenente-Coronel Espíndola

CADA OPORTUNIDADE ERA aproveitada como se fosse única. Na base operacional, nossa equipe não titubeou ao decidir que embarcaria na aeronave que estava saindo para resgatar alguns policiais do Batalhão de Operações Especiais da PMGO (BOPE), que voltariam ao ponto de comando antes do anoitecer. O nosso grupo optou por fazer o caminho reverso. Enquanto uma equipe se retraía, os quatro militares se embrenhavam no mato.

Assim que isso aconteceu, eles encontraram uma casa abandonada que seria usada para passar a noite. Eles só não faziam ideia de que estavam num local muito próximo de onde havia acontecido o confronto daquela tarde, com o BPCães. Ao analisar o mapa da localização da equipe, o Subtenente Arantes cruzou com os dados do relatório das ações do dia e notou a proximidade do grupo ao local de onde o alvo tinha sido visto pela última vez. A descoberta mudou os planos para aquela noite: da casa abandonada, para a campana à beira do rio. O ponto definido pelos militares permitia uma ampla visão, tanto da casa, onde num primeiro momento passariam a noite, quanto da vasta mata que compunha o quadrante operacional de busca.

A madrugada foi chegando e trazendo com ela um frio quase insuportável. A temperatura caía numa rapidez assustadora. É bem verdade que em Goiás é uma característica do mês de junho o registro de mudança do tempo. Mas a sensação térmica daquela madrugada sugeria que os termômetros estivessem marcando algo em torno de 0°C. Exagero ou não, a sensação era essa. Talvez estivesse sendo provocada pela umidade do local, com matas altas e fechadas. Mas quem disse que a vida de policial é fácil? Quem nasceu para isso nunca enxergou dificuldade como problema. Muito pelo contrário. Eu, por exemplo, encaro as eventualidades da minha profissão como injeção de ânimo para fazer a "vaca parir".

Só que os contratempos estavam apenas começando. Sinais sobrenaturais seriam emitidos o tempo todo a partir daquele dia. A tocaia realizada pelos nossos policiais durou até uma hora da manhã. Era impossível continuar na mata e enfrentar aquela temperatura. Eles não estavam com roupas adequadas. Não seria demasiado dizer que aquelas condições poderiam provocar uma hipotermia em algum dos militares. Foi decidido então o retorno para a casa abandonada. Era preciso aquecer a equipe. Mesmo tendo condição de cochilar para descansar alguns minutos, a vigília durou até o dia amanhecer.

"Eu nunca havia trabalhado no modo satélite do Google Maps, mas peguei uma breve instrução com o Major Regys e fui demarcando no meu mapa os pontos relevantes para que pudéssemos traçar estratégias."

Subtenente Arantes

"Nessa primeira madrugada não conseguimos êxito, mas foi uma boa amostra do que realmente era aquela caçada e o que enfrentaríamos nos dias posteriores."

3º Sargento Teófilo

NO DIA SEGUINTE, 18 de junho, sexta-feira, logo nas primeiras horas de buscas, o primeiro acaso. O solado do coturno do Subtenente Arantes começou a se descolar. Daí você deve estar se perguntando: E o que teria de relevante nisso? Não seria comum esse tipo de situação durante uma operação? A resposta é simples: uma eventualidade como essa não acontece corriqueiramente em ocorrências policiais. Conhecedores de vestimentas militares sabem que os reforços usados, tanto nas fardas quanto nos coturnos, são diferenciados de quaisquer outros calçados vendidos em lojas populares. O coturno do Subtenente Arantes era ainda mais fortalecido, já que havia comprado de uma das melhores fábricas de artigos militares do país.

Seria algum tipo de prenúncio?

O envolvimento de Lázaro Barbosa com a tal magia negra, tão comentada na cidade, estaria sendo mostrado por meio de sinais?

Caro leitor, deixo essa conclusão a você!

A única verdade que se sabia era a de que o Subtenente Arantes precisava de um novo calçado. A forma encontrada de solucionar provisoriamente o problema foi pegar um tênis emprestado de um chacareiro da região até o final do dia, quando o Subtenente conseguiria substituir o coturno estragado ao voltar para a base operacional.

UM SÓ TIME

ERAM QUATRO HORAS da tarde daquela sexta-feira. A central de monitoramento recebeu um alerta. As equipes de Estação de Rádio Base (ERB) enviaram sinal de que havia sido triangulado o número de celular usado por Lázaro Barbosa num determinado quadrante da zona rural de Girassol. O triangulamento foi identificado dentro do perímetro de busca que estava sendo saturado pela força-tarefa. O telefone do fugitivo já estava sendo monitorado há alguns dias. Unidades terrestres e aéreas do Grupo de Radiopatrulha Aéreo da PMGO (GRAER), helicópteros da Casa Militar de Goiás e das Polícias Civil e Militar do DF deslocaram-se para as coordenadas repassadas pelas equipes de comando e controle. Policiais da Cavalaria, Comando de Operações de

Divisas da PMGO (COD), BOPE de Goiás e do DF, Batalhão Rural, Batalhão de Choque, BPCães, Grupo Tático 3 da PCGO (GT3) e as guarnições terrestres do DF saíram em comboio com destino ao local. Todos os indícios apontavam que o fugitivo estava próximo.

No momento em que havia sido confirmado o triangulamento do sinal, eu chegava para integrar a operação. A sensação era de que estávamos no olho do furacão. Cada minuto que passava era valioso. Eu tinha que definir uma estratégia, tomar uma decisão rápida e precisa. Comigo estavam outros quatro policiais militares: Capitão Alvim, Subtenente De Paula, Subtenente Ronyeder e 1º Sargento Joubert. Acionei o Major Regys, que estava sobrevoando a área na aeronave do SAEG. Rapidamente fomos resgatados usando as coordenadas enviadas por mim. Assim que embarquei no helicóptero, perguntei quais eram as notícias que estavam gerando tanta agitação. O Major Regys me contou sobre o triangulamento da ERB e mostrou o quadrante onde o criminoso provavelmente estava escondido.

A área era formada por morros íngremes que se encontravam, criando grandes barrancos que davam acesso ao rio. De cima de um dos montes era possível ver a movimentação a quilômetros de distância, mesmo estando do outro lado da colina. Pedi ao Major Regys que fizesse um sobrevoo em toda a área estabelecida pelo triangulamento do sinal da ERB para que eu pudesse fazer o reconhecimento e definir o local em que iríamos desembarcar. Havia equipes de várias especializadas embrenhadas no matagal, enquanto os helicópteros faziam as buscas aéreas. Continuei na aeronave do SAEG, com minha equipe, até a chegada da penumbra da noite. Tudo indicava que Lázaro Barbosa estava cercado. Diante do posicionamento das unidades que estavam formando o cerco terrestre, defini onde iríamos desembarcar.

Afinal, caro leitor, rotanzeiro que é rotanzeiro tem que saber onde pisa!

A NOSSA PRIMEIRA PISTA

A NOITE CHEGOU e com ela novamente o frio. Eu e minha equipe entramos no mato. Na primeira trilha de mata fechada que seguimos, encontramos um rastro. Acabávamos de nos deparar com a nossa primeira pista do criminoso mais procurado do país.

Foram mantidos vários homens e viaturas cercando todo o quadrante de onde o sujeito havia sido visto pela última vez. Naquele momento existiam duas hipóteses: 1) ou Lázaro passaria aquela noite inteira na mata, escondido em alguma das milhares de grotas que existem ali, já que vários policiais estavam em incursão no local; 2) ou o fugitivo poderia conseguir abrigo em alguma casa próxima daquele quadrante, usando caminho praticamente invisível às pessoas que não conheciam minuciosamente a região. Essa seria uma possibilidade palpável, já que por ser mateiro, sabia, como ninguém, de cada rota que aquela área possui.

As conjecturas não tiraram nosso foco e continuamos embrenhados na mata mais melindrosa em que eu já estive em toda minha vida. Com a informação de que o sujeito tinha o comportamento de andar às margens do rio quando estava em fuga, decidimos fazer nosso deslocamento pelo curso d'água. As horas avançavam. Resolvemos parar a caminhada e montar uma emboscada. A primeira equipe ficou posicionada de um lado do rio e a segunda do outro.

A chegada da madrugada nos pegou de surpresa. Nós nunca tínhamos sentido tanto frio como naquele dia. Mas, como disse, os desafios que cruzam os caminhos de um policial militar servem como verdadeiros incentivos. Passamos a noite atentos a qualquer barulho, fosse de um galho quebrando, do mato se mexendo ou da água descendo correnteza abaixo. Permanecemos de tocaia até o nascer do dia.

Sábado, dia 19 de junho. Foi pela manhã que finalmente os nove policiais se encontraram. Fomos para uma casa abandonada, com um objetivo: formar um só time. Juntos, discutimos estratégias e definimos as próximas ações. Com a notícia de que no dia anterior Lázaro havia invadido uma chácara na zona rural de Girassol e arrombado uma casa, decidi que faríamos uma varredura no perímetro. Dividi os policiais em três grupos de três. De forma paralela e sem perder o contato visual, um grupo seguia do lado direito, outro do lado esquerdo e o terceiro ia por dentro do rio.

A razão de ter tomado essa decisão era a dúvida que ainda permanecia: o foragido estava, ou não, circulando naquelas imediações?

> "Passamos o dia assim, andando pelo mato, pela água e pelas grotas. Todos nós caímos em algum momento, ou escorregamos dentro do rio. O Subtenente Ronyeder foi o primeiro a se estabacar e se molhar por inteiro."
>
> *Subtenente Franco*

NÃO COMEMOS O dia todo e andamos muito mata adentro. Só paramos por volta das 21 horas, quando voltamos à casa abandonada para reabastecer nossas garrafas de água, buscar comida e descansar. O 1º Sargento Joubert tinha alguns mantimentos guardados na mochila e preparou um jantar às pressas. A equipe, que então estava completa, teve a oportunidade de conversar. O assunto foi tomando um caminho curioso.

Naquele momento descobrimos que todos nós, os nove policiais militares que compunham aquela equipe, havíamos recebido um sinal divino de que alcançaríamos sucesso naquela missão. Como contei no início do livro, o meu chamado foi por meio de um sonho. Já meus companheiros de missão receberam manifestações de diversas formas. Alguns por meio de mensagens de familiares, outros por revelações durante culto religioso.

E por falar nesse assunto, outro fato curioso, retomando as tendências previstas pela numerologia, a quantidade de policiais que compunham nossa equipe era outro sinal do Sagrado de que estávamos conectados com a proteção divina. Nosso efetivo era composto, ao todo, por nove PMs. Divulgações sobre esta metodologia esotérica afirmam que o número 9 representa a ligação com a espiritualidade. O 9 reflete o final de um ciclo e o começo de outro. Esse número está associado ao altruísmo, à fraternidade e à espiritualidade. Ele traduz a realização total do homem com suas expectativas atendidas e seus desejos satisfeitos.

"Estávamos exaustos, mas as experiências que trocamos nos fortaleceram. À medida que cada policial ia contando suas histórias, tudo ia batendo, parece que foi um chamado de Deus mesmo. De um lado, Lázaro com sua mística e a teoria de que praticava magia negra; de outro, nove policiais com revelações de que seríamos nós os responsáveis por trazer paz àquela cidade."

1º Sargento Barreto

"A sensação de proteção e cuidado de Deus que tive lá foi algo que nunca senti na minha vida. Estávamos em um ambiente totalmente hostil e desconhecido, mas eu não tive medo por nenhum segundo. Ele estava ao nosso lado."

Subtenente Arantes

"Eu classifico como fundamental o preparo que adquirimos nos cursos de policiamento especializado, como o de ROTAM. Nessa operação, especialmente, outro fator muito importante foi o preparo espiritual. Focamos no nosso conhecimento técnico e espiritual o tempo todo."

1º Sargento Joubert

PARA QUEBRAR AQUELE clima de tensão e incertezas sobre o que poderia acontecer no dia seguinte, resolvemos usar nossa criatividade, não só para definir estratégias operacionais, mas também para distrair um pouco a pressão que estávamos vivendo. Como Lázaro foi comparado ao Lampião, o chefe cangaceiro mais famoso da história brasileira e que aterrorizou o interior do Nordeste com seus saques e ataques, resolvemos criar um grupo de WhatsApp com o nome de "Guidão Ativo", uma referência jocosa à polícia da época de Lampião, a antiga Volante. Fizemos essa analogia, trocando o volante pelo guidão da bicicleta, para relembrar nossa criação em bairros menos favorecidos. Depois disso fomos dormir um pouco.

PARA REFLETIR

Pense por alguns segundos, você costuma andar sozinho em suas missões? Andar acompanhado o fortalece. Junto a uma equipe forte, não me intimidei e fui pra cima. Enquanto não vimos o caso solucionado, não descansamos nem medimos esforços para fazer o que fosse preciso naquele momento.

Você tem as pessoas certas ao seu lado? Traga para perto pessoas que estão em unidade com seu propósito ou que já tenham conquistado o que você deseja, elas lhe darão apoio e o impulsionarão a seguir adiante.

Nos treinamentos militares aprende-se a importância e a necessidade do trabalho em equipe. Afinal, diante de certos desafios, dois é sempre melhor que um. Minha proposta agora é que você descreva quatro atividades em que vai convidar pelo menos mais uma pessoa para acompanhá-lo no cumprimento de cada tarefa descrita.

VOCÊS SÃO A CAÇA OU O CAÇADOR?

3

O DESTEMOR DE MUDAR A ESTRATÉGIA DURANTE UMA CAÇADA FAZ PARTE DO OFÍCIO DE UM LÍDER. MALDITO DO COMANDANTE QUE VAI PARA UM COMBATE SEM A SAGACIDADE DE ENTENDER A HORA DE REDIRECIONAR OS PLANOS.

3

VOCÊS SÃO A CAÇA OU O CAÇADOR?

3.4

O DESTEMOR DE MUDAR A ESTRATÉGIA DURANTE UMA CAÇADA FAZ PARTE DO OFÍCIO DE UM LÍDER MALDITO. DO COMANDANTE QUE VAI PARA UM COMBATE SEM A SAGACIDADE DE ENTENDER A HORA DE REDIRECIONAR OS PLANOS.

JÁ ERA MANHÃ de domingo, dia 20 de junho. Depois do café, pedi ao Subtenente De Paula, ao Subtenente Arantes e ao 3º Sargento Teófilo que fossem à cidade para encontrar algum mateiro, ou caçador, que pudesse nos auxiliar a andar naquela área tão vasta.

"Saímos sem ter a menor ideia de quem achar."

Subtenente Arantes

NO MEIO DO caminho, os três viram um morador da região montado num cavalo e perguntaram se ele poderia nos ajudar. O cavaleiro, um senhor de idade e de barba branca, disse que não dominava tão bem a localidade, mas informou que ali perto vivia um mateiro de nome Jair, que conhecia a redondeza como a palma da mão. Os três policiais, então, foram atrás do senhor Jair, que, ao receber o pedido de ajuda, prontamente se dispôs a cooperar.

Os militares retornaram para onde estávamos e contaram a conversa que tiveram com o mateiro. Nossas duas equipes se deslocaram até a residência do senhor e lá ele afirmou que conhecia todo aquele terreno, que sabia onde Lázaro havia morado, alguns lugares em que teria trabalhado e também onde teria cometido crimes.

Pedimos então que ele nos acompanhasse numa patrulha pelas casas abandonadas daquele perímetro. Jair só nos pediu alguns minutos. Ele se ateve ao cuidado de levar a mulher e a filha para um local seguro e, em pouco tempo, estava pronto para nos dar apoio. Antes de sair, entretanto, fizemos uma foto daquele momento, porque consideramos o nome do mateiro um bom presságio.

Saímos por volta das oito da manhã e caminhamos por mais de nove horas dentro da mata, de rios, passamos por penhascos e grotas. Por vezes escorregamos, caímos, um apoiava o outro e revezávamos a condução das mochilas, que de início estavam cheias de água. O silêncio entre nós era indispensável. Tínhamos que estar atentos, o tempo todo, a qualquer tipo de sinal.

Em um determinado momento da nossa trilha, Jair olhou para mim e perguntou: "Comandante, pare um pouco, o senhor já caçou?" Achei estranho aquele questionamento e cogitei não levar adiante a conversa porque estávamos tentando evitar o máximo de ruídos para que, se Lázaro estivesse perto, não saísse em fuga. Tudo era milimetricamente pensado. Entre nós, policiais, não temos o costume de conversar durante as operações que realizamos, nossa única comunicação é por meio de gestos.

Mesmo sem ter respondido à pergunta, Jair continuou: "Vou falar para o senhor como é uma caça. Quando está caçando, o caçador vem com um cachorro até a beirada do mato e o solta para que ele vá atrás da caça. Quando o cachorro encontra a caça e a cerca, aí, sim, o caçador se aproxima e mata a caça. Então, enquanto o senhor está aqui dentro do leito do rio, Lázaro vai estar te observando de cima, estando do lado de fora do mato em algum ponto alto e com muita vantagem em relação ao senhor".

Naquele momento houve uma virada de chave em minha mente. Percebi que o nosso comportamento indicava que a caça éramos nós. A estratégia que estava sendo aplicada, até então, foi inteiramente alterada. Imediatamente aquela clareza adquirida por meio de uma pessoa simples, mas provida de um conhecimento extremamente rico, começou a ser incorporada às nossas buscas policiais. O novo formato estabelecia uma equipe no leito do rio e uma de fora do mato, no lugar de um "caçador". Assim, tínhamos a chance de neutralizar qualquer tentativa de fuga, ou ataque, caso o fugitivo fosse encontrado pelo caminho. Com a reorganização do nosso grupo, o sujeito seria estimulado a mudar a atuação de caçador e assumir o papel de caça, o que efetivamente aconteceu ao final da operação.

PARA REFLETIR

Mudar a estratégia durante uma missão faz parte do ofício de um líder. Você viu isso neste capítulo. Entender a hora de redirecionar os planos é fundamental para ajustar o andamento da missão e garantir que nada saia do controle sem que seja possível retomar a direção certa da operação. Muitas vezes nossas rotas e estratégias precisam ser alteradas no meio do trajeto.

Reflita sobre aonde está querendo chegar. Você tem clareza do seu alvo? Estabeleceu estratégias para chegar ao seu objetivo com bravura e dedicação?

Como você tem desempenhado suas atividades? Reveja as estratégias, analise se você está agindo como a caça ou como o caçador. "Saia do 'mato' e veja a situação de cima."

FIO DESENCAPADO 4.

AQUELE QUE TEM FÉ NÃO PRECISA TER OLHOS ABERTOS O TEMPO TODO PARA ENXERGAR ATÉ O FIO DE UMA NAVALHA, NEM AUDIÇÃO AGUÇADA A PONTO DE OUVIR UMA AGULHA CAINDO AO CHÃO. PARA SER VITORIOSO, VOCÊ PRECISA DAR SENTIDO AO QUE NÃO É POSSÍVEL ENXERGAR: OS SINAIS ENVIADOS PELO SAGRADO.

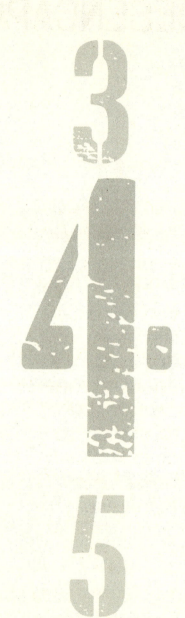

AS INFORMAÇÕES SOBRE a vida pregressa de Lázaro Barbosa, para nós, tinham muita valia. Além do mais, quando acionamos o apoio do mateiro Jair para nos orientar naquele matagal denso, também pegamos as coordenadas dos locais que ele garantia ter relação com a passagem de Lázaro por aquela região. Diante disso, fomos numa região onde o fugitivo tinha vivido e deixado marcas de terror: vários moradores haviam sido vítimas de assaltos praticados por Lázaro.

Paramos numa propriedade abandonada e procuramos pistas do criminoso. Sem demora, continuamos a andar por outras fazendas, dividindo-nos em grupos, a fim de ter cobertura da maior área possível. Fizemos varredura em todos os cantos e locais por onde passamos. Lembramos que Jair tinha nos falado que do outro lado da serra, ponto oposto de onde estávamos, existia uma chácara em que Lázaro havia permanecido por um tempo antes de cometer os últimos crimes. Para chegar até lá, entretanto, teríamos que subir o morro coberto por uma mata fechada e atravessá-lo por completo. O percurso era longo, perigoso e extremamente cansativo. A única opção era ir a pé. Por algumas vezes foi necessário reabastecer nossos cantis em nascentes que brotam do solo em meio ao matagal intocado.

Apesar de seguirmos firmes, em determinados momentos tivemos que diminuir o ritmo da caminhada. A subida era muito íngreme. Sem contar que a água das garrafas acabava rápido e o cansaço inevitavelmente começava a tomar conta de nós. Em certo ponto do percurso, que considero um dos mais desafiadores daquele dia, o Capitão Alvim notou que o Subtenente De Paula apresentava sinais de exaustão. Interrompemos a caminhada por alguns instantes.

Por volta do meio-dia, voltamos a parar um pouco. Tínhamos que comer alguma coisa. O tempo que gastaríamos para isso? Dez minutos? Que nada! Policial em caçada não tem mais que 10 segundos para se alimentar. Abrimos uma lata de sardinha e rapidamente terminamos nosso almoço. Para ajudar a nos dar energia, comemos uma paçoca. Logo já estávamos com as mochilas nas costas em mais uma trilha. Poucos metros à frente notamos alguns rastros. Andamos mais alguns quilômetros e passamos por um terreno pantanoso que dificultou muito o progresso da equipe, levando em consideração o tempo de deslocamento. O que nos ajudou a concluir a travessia daquele trecho específico foi o treinamento especializado dos cursos da Polícia Militar, que nos prepara para situações adversas como aquela.

Horas de caminhada se passaram e enfim avistamos a casa em que Lázaro havia trabalhado como caseiro. Aliás o que vimos era apenas o que havia restado dela. O local estava completamente destruído. Não tinha uma parede sequer. Paramos alguns minutos para discutir o que seria feito, já que as ruínas não haviam nos ajudado em nada. Então decidimos voltar à localização onde tínhamos encontrado alguns rastros. Nosso objetivo era segui-los.

Durante o retorno, uma boiada passou por nós correndo em alta velocidade e bastante assustada, como se fugisse para longe da mata. Ela vinha de uma região próxima às pegadas para onde estávamos indo. A pergunta que se fazia naquele instante era: o que teria assustado aquela manada?

A decisão foi unânime de que deveríamos checar o motivo da movimentação. Andamos por duas horas. O dia estava acabando. Estávamos exaustos. Pegamos os cantis para molhar a boca com água e adivinhem? Não tinha uma gota d'água em nenhum deles. Estávamos cercados de uma imensa área desabitada. À nossa frente havia uma serra íngreme a ser vencida. Não existia lugar para buscar apoio naquela imensidão cercada por vegetais nativos. Não podíamos parar a caminhada. Ao anoitecer, o perigo aumentava substancialmente. A bem da verdade é que, para entrar numa missão dessa, o "cara" tem que ter certeza de que aguenta pressão.

Era evidente que estávamos cansados. O dia chegava ao fim e a falta de água era outro problema que enfrentávamos. Mas continuamos em frente. Subimos um morro para procurar água. Se não tivesse algum tipo de fonte, já tínhamos traçado um plano B: pedir apoio ao helicóptero do SAEG.

No cume do monte vimos uma propriedade a cerca de um quilômetro. Então nos aproximamos com cautela, ao perceber uma movimentação de pessoas no local. Como eram dois homens, pensamos que realmente um deles poderia ser Lázaro, e mesmo estando desgastados pelo esforço que o dia nos exigira, a vocação policial que corre em nossas veias nos fez reagir quase que instantaneamente.

Chegamos à casa na surdina. O objetivo era realmente pegar os caras de surpresa. Fizemos a abordagem, checamos o local e estava tudo limpo. Um era o caseiro da propriedade e o outro era o sobrinho que estava cuidando do terreno abandonado pelos donos. Naquela hora não nos lembrávamos mais do cansaço.

Depois de termos verificado toda a casa, perguntamos se algum deles sabia algo a respeito do paradeiro de Lázaro, já que indícios apontavam a passagem dele por ali. O caseiro contou que ia à chácara somente uma vez por dia para cuidar dos animais e que, por causa do medo, não chegava a ficar no local nem por 15 minutos.

A HISTÓRIA DE UM CRIME ESTAVA PARA SER CONTADA

A CONVERSA COM o caseiro se estendeu. Entre as histórias contadas por ele, uma nos atentou. O que para ele parecia despretensioso, porque não se tratava de um caso recente e que já tinha sido investigado pela polícia na época, para nossa equipe, entretanto, tinha muita relevância em relação à missão.

O cara nos contou que, apesar de não ter visto nenhum sinal do fugitivo, era bem provável que o bandido estivesse por perto. Na fazenda onde estávamos, o irmão de Lázaro havia sido morto em uma tentativa fracassada de assaltar os proprietários.

Segundo o caseiro, há cerca de 10 anos, o irmão de Lázaro chegou ao local durante a noite e surpreendeu a proprietária da fazenda, exigindo-lhe dinheiro. Em seguida, conduziu-a para fora da residência, possivelmente para matá-la.

O marido da vítima estava no quarto quando percebeu uma agitação. Ele pegou uma espingarda calibre 20 e saiu para o quintal. O homem se escondeu atrás do galinheiro, mas mesmo no escuro o bandido notou o movimento e atirou contra o marido da refém, que revidou com disparos.

O irmão de Lázaro fugiu e as vítimas correram para dentro de casa e se trancaram. Pela manhã, pediram ajuda dos filhos e da polícia, mas ninguém encontrou nenhum vestígio do criminoso. Dois dias depois, um dos cachorros da fazenda apareceu com o boné que o bandido usara durante a tentativa de roubo.

O casal resolveu seguir o cão até um canavial, onde sentiu um forte odor e descobriu que se tratava do cadáver do sujeito em estado de decomposição. Notícias que chegaram até a família diziam que quando Lázaro soube do fato, jurou que não descansaria enquanto não os matasse. Por isso, o caseiro nos confidenciou que tinha a sensação de que todas as noites o assassino passava por lá.

"Era de noite quando ouvi os cachorros latindo muito e acordei para ver o que estava acontecendo. Fui surpreendida por um homem que me coagiu e me levou para o lado de fora da casa. Houve tiros e meu marido revidou, acertando o irmão de Lázaro, que estava em nossa propriedade em busca de dinheiro. Nessa época, Lázaro estava preso, mas quando ficou sabendo do ocorrido, falou para muita gente que iria voltar e se vingar. Eu não acreditava, deixava para lá. Quando ele cometeu aquele crime em Ceilândia (DF), no dia 9, minha família queria que eu saísse da fazenda imediatamente. Eu abandonei tudo durante uma madrugada, mas meu coração ficou apertado por deixar os animais para trás."

Relato da proprietária da
fazenda invadida pelo irmão de Lázaro

CIENTES DA HISTÓRIA, decidimos estabelecer ali a nossa base até o último dia da operação. Fizemos contato com a dona da propriedade por telefone e ela nos autorizou a permanecer no local o tempo que fosse necessário. Disse-nos que poderíamos usar camas, roupas, toalhas e alimentos. Ela compartilhou conosco tudo o que tinha, tendo em vista a esperança de que Lázaro fosse pego. Caso contrário, estava decidida a abandonar sua propriedade definitivamente.

A CRUZ SAGRADA SEJA A MINHA LUZ

JÁ ERA NOITE de domingo. Naquela casa recebemos mais um sinal de que Deus estava guiando a nossa missão. Assim que entramos na residência que acabara de nos ser cedida como abrigo, fomos surpreendidos com a notícia de que nenhum de nós ficaria sem lugar para descansar. Na casa existiam exatamente nove camas, o que correspondia ao número total de policiais.

As mensagens espirituais que relato a vocês, caros leitores, não são meras criações da minha imaginação. Acreditem ou não, naquele dia recebemos um dos sinais mais valiosos de toda a operação. Para mim, de forma especial, foi a manifestação que marcou minha vida, porque além de receber abrigo e conforto para todos os policiais, cada cama disposta a nós possuía em sua cabeceira uma medalha de São Bento.

A título de curiosidade, São Bento ficou conhecido por realizar diversos milagres com o sinal da cruz e por receber revelações de Deus. Aos que creem, o santo católico simboliza a regra de vida que ele, inspirado por Deus, criou. O lema principal, comumente visto em latim, é *Ora et Labora*, que significa "ore e trabalhe". Tal regra, simples e clara, traz à luz que a oração alimenta o espírito e dá sentido a todas as coisas. O trabalho ocupa a mente, enobrece o homem, é causa de crescimento e desenvolvimento.

Vou descrever com detalhes as características das medalhas, que eram minuciosamente iguais, para que quem não a conheça tenha a oportunidade de se inteirar. A medalha de São Bento é arredondada e no meio possui uma cruz formada por barras que se cruzam em ângulo de 90°. Tanto na orientação vertical quanto na horizontal, a cruz é preenchida por letras que possuem fortes significados. Na barra vertical leem-se as seguintes letras: **CSSML**, que traduzidas significam "A Cruz Sagrada seja minha luz". Já na horizontal, as letras **NDSMD**, que querem dizer "Não seja o dragão meu guia". Formando um círculo em volta da cruz, do lado direito de quem olha a medalha de frente, estão as letras **VRSNSMV,** que dizem "Retira-te, Satanás! Nunca me aconselhes coisas vãs". Já do outro lado, as letras **SMQLIVB**, que significam "É mau o que me ofereces? Bebe tu mesmo os teus venenos".

ORE E TRABALHE

MESMO DIANTE DAQUELE sinal que tanto nos inspirou, ainda tínhamos muito trabalho pela frente. Afinal estávamos numa caçada, não numa colônia de férias. Saímos para fazer o reconhecimento de toda a extensão da propriedade e fomos efetuar uma varredura numa outra fazenda em que Lázaro teria servido como caseiro.

Ao nos aproximarmos do imóvel, que tinha sinais de habitação, escutamos um som alto vindo de dentro. Eu achei aquilo estranho. O comportamento policial, durante uma operação, é duvidar de tudo. Estávamos num ambiente rural, pacato e isolado. Meu faro dizia que aquela situação era bastante suspeita. Então decidi apurar o que poderia estar acontecendo.

Quando fiquei diante da porta de entrada da casa, vi que ela estava somente encostada. A nossa doutrina militar ensina a fazer adentramento de locais suspeitos, usando várias estratégias. Mas o principal direcionamento é manter a calma e não ter afobação. Policial sabe trabalhar em equipe e não é à toa. Toda movimentação tem a hora certa de acontecer. Primeiro passo: A cobertura chegou? Chegou! Então a regra é não ter precipitação.

Estou dizendo isso porque, antes que eu colocasse a mão na maçaneta para abrir a porta e entrar no local, minha retaguarda tinha visto o que poderia ter colocado minha vida em risco. O Subtenente Arantes deu um grito de alerta. Da janela, do lado de fora da casa, ele identificou que tinha um fio desencapado que conectava a maçaneta da porta à energia elétrica. Era uma armadilha. E eu lhe pergunto, caro leitor: Quem teria tanta perversidade e seria capaz de criar uma emboscada como essa, sem um objetivo cruel por trás de tal ação? Era claramente uma tentativa de homicídio.

Depois que ganhamos a emboscada, eu empurrei a porta com o coturno, porque o material do solado possui um reforço capaz de neutralizar a descarga elétrica. Era a forma mais segura de entrar na casa, desfazendo aquela armação sem que nos machucássemos. Checamos os cômodos. O local parecia um mocó – ambientes abandonados em cidades, que são frequentados por pessoas em situação de rua para usar drogas. Além de extrema sujeira, tinha comida estragada por todos os lados, janelas quebradas e muito mofo. Praticamente não existia mobília, apenas uma cama em um dos quartos, uma mesa de alumínio típica de frigorífico na sala, um fogão e uma geladeira bem velhos na cozinha. O banheiro exalava um cheiro insuportável.

Vasculhando o local, encontramos algumas roupas que pareciam ter sido usadas por Lázaro em sua última aparição. Fotografei as peças e encaminhei para o Capitão Bispo (chefe do Serviço de Inteligência da Casa Militar). Ele analisou as fotos, cruzou com as imagens obtidas na última visualização do indivíduo e confirmou que realmente existia semelhança. Intensificamos o trabalho de levantamento de dados relacionados àquele imóvel. Quem poderia estar morando ali? Conferimos cada canto da casa e descobrimos que um rapaz, com apelido de "Neguinho", era o morador e que, coincidentemente, era velho conhecido de Lázaro Barbosa. No entanto Neguinho não foi encontrado por nossa equipe.

PARA REFLETIR

"Para ser vitorioso, você precisa dar sentido ao que não é possível enxergar: os sinais enviados pelo Sagrado."

Tínhamos tido um dia de extremo cansaço. A caminhada havia sido longa, e passamos por lugares inóspitos até encontrarmos abrigo em um bom lugar, graças a Deus.

Engana-se redondamente se você pensou que a expressão "graças a Deus" foi mera força do hábito. Não foi, novamente fomos provados pelo amor de Deus e pela certeza de que Ele estava guardando os nossos passos durante toda a missão. Ele nos envia os sinais e precisamos estar atentos a isso para não cairmos no engodo de que Deus se esqueceu ou que tem coisas mais importantes para se preocupar. Nada disso!

Você consegue perceber os perigos que estão à sua volta? Pense quantas vezes o sinal estava aparente como o fio desencapado na porta da casa e você não deu atenção e acabou se machucando.

Por outro lado, já provou do livramento de Deus em alguma situação perigosa, na qual você recebeu uma inspiração para agir de determinado modo?

ALVORADA!

O SUCESSO DE UM DESAFIO ESTÁ PREDESTINADO ÀQUELES QUE SABEM DAS DIFICULDADES, ASSUMEM AS RESPONSABILIDADES E SE DISPÕEM A PAGAR O PREÇO.

4.
5
6

NA MANHÃ SEGUINTE eu havia tomado uma decisão. Nossa rotina de busca teria algumas estratégias incrementadas. Era segunda-feira, 21 de junho. Tracei o plano: enquanto um grupo avançava cerca de cinco quilômetros à frente com o objetivo de encontrar um local de emboscada, o outro faria o percurso pelo rio a fim de "tocar" o bandido na direção desejada. Ou ele cairia nas mãos da equipe que estava adiante, na mata, ou da que estava de tocaia. Naquele dia eu despertei mais cedo que o de costume.

"Sempre acordávamos com os berros do
Tenente-Coronel Edson dizendo: Alvorada!"

Subtenente Franco

DESCEMOS PARA O rio que passava a poucos metros da propriedade e não demoramos para encontrar pegadas que sugeriam que alguém constantemente transitava por lá. Enquanto eu estava com um grupo embrenhado no matagal, outro estava responsável pela emboscada. Seguimos pistas, pegadas e sinais durante o dia todo.

Ao cair da noite, um barulho. Meu grupo tinha acabado de identificar uma movimentação próxima ao curso d'água. Ficamos em alerta total. A adrenalina aumentava. Estaríamos prestes a capturar o sujeito? O barulho foi ficando cada vez mais alto, como se quem o provocasse estivesse vindo em nossa direção. E realmente estava. Mas não era a hora! A movimentação estava sendo provocada pelos nossos policiais que voltavam da armadilha em razão do avançar da noite e dos riscos que ela trazia.

Já era hora de retrair as equipes. A madrugada havia chegado. Tínhamos passado aquela segunda-feira inteira no mato, ou em campana. O cansaço dos nossos policiais era uma arma contra nós mesmos. Assim que nos organizamos para retornar ao ponto de base, quase aconteceu uma tragédia: o Subtenente Franco escorregou nos arbustos, ficando de ponta-cabeça num vale, sendo sustentado por uma perna que havia ficado presa numa forquilha, e o fuzil, por sorte, ficou pendurado no corpo do militar por causa do uso correto da bandoleira (correia que prende o armamento ao policial). Resgatamos o policial e verificamos se ele tinha se machucado. Depois de conferir que estava tudo bem, voltamos para nossa base de apoio.

Além da pressão, da adrenalina, dos riscos e dos perrengues que estávamos passando, ainda existia a distância da família. Só que esse tipo de situação acaba se tornando corriqueira no dia a dia de um policial. Mas tínhamos a responsabilidade de dar, ao menos, um sinal de vida para os nossos familiares. Como a maioria da equipe não tinha *chip* da única operadora que funcionava na região, a falta de comunicação com os parentes era ainda mais constante. Embora quase não existisse tempo disponível por ficarmos diuturnamente imbuídos na missão de capturar Lázaro, quando surgia uma rápida oportunidade, fazíamos um revezamento. Cada um de nós telefonava rapidamente para casa, dava notícias e retornava para o nosso foco.

DISCIPLINA MILITAR — A COBRANÇA

DIA 22 DE junho completava o 5º dia que eu participava da operação. Os quatro policiais que estavam na minha equipe ainda não tinham, sequer, pisado na base de operações montada numa escola em Girassol, distrito de Cocalzinho de Goiás. Desde quando havíamos chegado ao perímetro onde as buscas estavam concentradas, nos enfiamos no mato e, junto do meu grupo, sobrevivemos do que encontramos pelo caminho. Nosso foco era capturar o criminoso e restabelecer a paz da população.

Por volta das seis da manhã daquele dia, saímos do ponto que tínhamos estabelecido como apoio e nos deslocamos à base de operações para coletar novas informações e repassar à coordenação da força-tarefa o lugar onde a equipe da Casa Militar havia se fixado. Eu me reuni com o núcleo de comando da operação. Trocamos dados e traçamos um planejamento. A conversa caminhava com muita seriedade. A força-tarefa completava oito dias. Era perceptível a tensão por onde passávamos, fosse no pátio da escola ou nas salas em que as agências estavam divididas. A autocobrança dos competentes profissionais que ali estavam, por uma resposta à sociedade, era clara e evidente.

Fui chamado pelo Comandante-Geral da PMGO, Coronel Renato Brum dos Santos. Entrei numa sala que funcionava como uma coordenação central da base. Com semblante fechado, o Comandante-Geral me repreendeu. A disciplina militar exige postura e compostura da tropa. A forma como eu havia me apresentado ao alto comando da corporação, com barba por fazer, farda suja, rasgada e desajeitada, me rendeu uma bronca das mais duras. Não interessava se eu estava naquelas condições por ter ficado tanto tempo embrenhado no mato. Regra é regra, ainda mais dentro de uma corporação militar.

A determinação dada a mim era para que, quando eu voltasse àquela base de operações, me apresentasse devidamente, como manda a doutrina militar. Naquele momento me preocupei muito. Quando saí de Goiânia com destino a Cocalzinho, eu tinha levado somente a farda que estava usando. Eu não tinha barbeador nem o intuito de voltar em casa para trocar o fardamento. A única certeza que tinha naquele momento era a de que não abandonaria aquela missão. Tantos sinais sagrados recebidos por nós não poderiam ter sido à toa. Quando saí da base, senti que voltaria em breve. Não para me apresentar novamente com uma nova farda e barba feita, mas para entregar às autoridades policiais Lázaro Barbosa capturado.

CÓDIGO DECIFRADO

UMA NOVA PISTA surgiu ao darmos início ao nosso trabalho na quarta-feira, 23 de junho. Havíamos conseguido rastrear um local de observação à beira do córrego. Tudo indicava que se tratava de uma das áreas usadas como esconderijo por Lázaro Barbosa. Notamos novas pegadas dentro do rio, justamente onde tínhamos apagado os sinais no dia anterior. Nosso objetivo era verificar se alguém se movimentava por ali. Para nós, aquelas pistas só diziam uma coisa: a caçada estava próximo de acabar.

Continuamos a andar pelo curso do rio. De repente voltamos a ouvir um som alto vindo de uma casa, como tinha acontecido dias atrás. Curiosamente os ruídos vinham do mesmo local onde eu quase havia sido eletrocutado. O que aprendi nesses 11 anos de PM, caro leitor, é que no mundo policial não existe acaso.

Tudo começou a fazer ainda mais sentido: o som ligado era parte de uma armadilha para os policiais que estavam saturando a região, caso tentassem entrar no local, mas se tratava também de um sinal para Lázaro. O código indicava se a casa estava segura, ou não, caso o criminoso precisasse se refugiar do frio, ou até mesmo das buscas. A música ligada no último volume mostrava que o local estava resguardado para que ele pudesse se esconder. O silêncio apontava o contrário: alguém esteve, ou estava por ali. Sim, o som era tão alto que a primeira providência de quem entrasse na casa seria diminuir o volume imediatamente, dessa forma Lázaro saberia que o local apresentava perigo a ele.

Na altura do campeonato, eu tinha uma convicção e ninguém era capaz de me convencer do oposto: quem realmente ficava no mato, ou próximo ao leito do rio durante a madrugada, eram apenas os policiais.

PARA REFLETIR

"O sucesso de um desafio está predestinado àqueles que sabem das dificuldades, assumem as responsabilidades e se dispõem a pagar o preço."

Essas são características predominantes em pessoas seguras e que não têm preguiça de aprender, pois sabem o que estão fazendo e não têm medo de voltar atrás caso seja necessário. Geralmente são esses profissionais que se entregam em uma operação.

Não procure culpados pelos seus fracassos, tome suas decisões e seja autorresponsável. Seus resultados positivos e negativos dizem respeito a suas escolhas. Aprenda com os erros – eles são importantes para revelar o que de fato deve ser feito – e continue avançando.

Você tem assumido as suas responsabilidades e está disposto a pagar o preço pelo sucesso? Busque pelo menos duas fontes de conhecimento para algo que considera importante realizar ainda este ano.

CETICISMO X MAGIA NEGRA

6

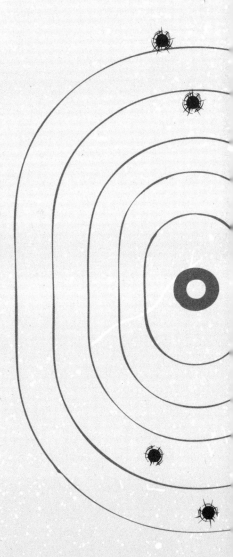

UM DESAFIO QUE ENVOLVE PRESSÃO, RISCO À VIDA E, AINDA, A MÍSTICA DE PRÁTICAS SATÂNICAS EXIGE MUITA CONCENTRAÇÃO. É PRECISO FOCAR NOS PONTOS FORTES, IR À BUSCA DE INFORMAÇÕES QUE DEFINAM AS FRAQUEZAS DO ALVO, DETER AS OPORTUNIDADES E CRIAR RETAGUARDA PARA SE DEFENDER DE AMEAÇAS.

5
6
7

RITUAL, MAGIA NEGRA, sacrifício, oferendas... Para nós, muito do que era falado por populares não passava de mera especulação. A Bíblia traz uma passagem que conta a incredulidade de um dos discípulos de Jesus Cristo. Tomé não acreditou no cumprimento da profecia de Deus que falava da crucificação, morte e ressurreição de Jesus Cristo. A essa reação do discípulo Tomé foi atribuído um ditado que é repetido há mais de dois mil anos: "É preciso ver para crer".

Durante aqueles seis dias em que estávamos participando diuturnamente da operação, ouvimos contos sobre inúmeros "despachos" vistos na mata, por moradores e até mesmo por policiais. Na nossa cabeça, até então, tais mandingas não passavam de papo-furado. Elas poderiam até existir em algum lugar daquele extenso matagal, mas para nós se tratava de montagens criadas por alguns desocupados, com a intenção de assombrar ainda mais aquela população que estava sensível a todo tipo de notícia nesse sentido.

Se até um discípulo de Jesus duvidou de uma profecia de Deus, com o mais perfeito dos propósitos já ensinados em dois mil anos, imagine nós, que além de nunca termos tido conhecimento de qualquer tipo de feitiçaria, não alimentávamos, na nossa imaginação, a hipótese de existir maldade em um ser humano que fosse capaz de, além de ceifar vidas humanas, usar o plano espiritual, escorado em espíritos malignos das profundezas mais obscuras, para que pudesse lograr êxito nos esforços de espalhar medo, dor e sofrimento. E, naquela ocasião específica, ficar invisível aos olhos da força-tarefa.

Na quinta-feira, 24 de junho, estávamos sentados numa grota, almoçando. Percebemos que perto de nós havia vários desenhos, símbolos e restos de animais mortos que nos fizeram lembrar das tais oferendas de que tanto se falava na região. De repente ouvi um barulho. Achei estranho. A impressão era a de que alguém estava matando uma galinha, mas não dei muita atenção.

Terminamos de almoçar e fomos fazer novas trilhas. Andamos poucos minutos e o que encontrei me fez repensar no ceticismo que carreguei por mais de trinta anos em relação à magia negra. De repente, bem na minha frente, diante dos meus olhos, com um furo nas costas, de onde havia sido retirado o coração, estava uma galinha preta. Entrelaçado a ela, um animal pequeno, que parecia muito a um rato. O buraco no pescoço mostrava que a mesma coisa tinha sido feita com ele. Foi por ali que o coração do bicho tinha sido arrancado. A pergunta que não saía da minha cabeça era: Aquilo que estava ali seria algum tipo de ritual de magia negra?

Seguimos nossa caminhada. Durante o percurso fomos encontrando moradores da região ao longo da estrada. Conversamos com muitos deles com o objetivo de identificar o que fosse possível do comportamento e das características do criminoso. Mas uma coisa não podíamos negar, aquela cena esquisita vista mais cedo nos acompanhou, em pensamento, por alguns quilômetros. Na nossa andança conversamos com um bocado de gente que morava na região. Entre uma conversa e outra houve quem afirmasse conhecer Lázaro, mas dizendo nunca ter trocado nem um "bom-dia" com ele. Outros relataram que só o tinham visto na televisão.

Um grupo de moradores de idade mais avançada estava perto de nós e os olhos daquelas pessoas pareciam pedir para falar conosco. Fomos até eles e, sem qualquer dificuldade, nos contaram que já tinham tido algum tipo de contato com ele quando havia se mudado para Goiás. Disseram ainda que depois que Lázaro ficou preso em Águas Lindas, não souberam mais notícias do sujeito. O relato daqueles senhores garantiu aquilo de que já havíamos começado a desconfiar, mas que precisávamos de fontes que nos confirmassem. O grupo nos afirmou que Lázaro era bastante entendedor de práticas de magia negra e prosseguiu contando que desde que se mudara para terras goianas, já realizava tais sacrifícios.

"Esse cara parece ter um pacto com o diabo" foi uma das frases que mais ouvimos pelas redondezas durante os dias de caçada. Conversas de toda natureza chegavam até nós. Algumas com evidências e fundamentos, outras, na nossa opinião, completamente absurdas, como a teoria de que a família assassinada em Ceilândia, no dia 9 de junho, teria sido uma "oferenda" e o mesmo ocorreria com os três reféns da mesma família, resgatados pela polícia em um córrego no dia 15 de junho.

Eu preciso esclarecer que é evidente que toda história narrada aqui não faz qualquer tipo de crítica, ou insinuação, sobre as religiões de matrizes africanas. Tais crenças são caracterizadas pela fé em orixás, entre outras divindades, que nada se assemelham às práticas que tudo indicam terem sido realizadas pelo criminoso, aqui contadas. As circunstâncias narradas neste capítulo são de situações enigmáticas e polêmicas, que trazem à luz uma suposição a devoções satânicas, que até então nenhum de nós tinha visto com os próprios olhos, tampouco confirmadas em sua essência.

PARA REFLETIR

"Um desafio que envolve pressão, risco à vida e, ainda, a mística de práticas satânicas, exige muita concentração."

Além disso, é preciso crer que aquele que está em nós é infinitamente maior do que o que motivou o outro a praticar rituais macabros na esperança de receber mais proteção ou sucesso em algum negócio. Ninguém supera Deus, Ele é o poder. Mas é necessário se posicionar, pois com Deus não se brinca e dEle não se zomba. Não é possível servir a dois senhores ao mesmo tempo.

Trabalhe para entregar o seu melhor em qualquer atividade, busque o conhecimento, tenha fé e relacionamento com Deus. Seja corajoso e atente-se àqueles que se aproximam de você, nem todos são bem-intencionados.

Reflita sobre o que leu agora e faça uma oração, posicione-se! Em seguida procure atividades que melhorem sua capacidade de concentração.

À ESPREITA

7

NÃO DAR ESPAÇO PARA O DESÂNIMO, ENTENDER O QUE CADA MOMENTO LHE OFERECE E PERSISTIR NO PROPÓSITO É O CAMINHO. NENHUM DESAFIO É GRANDE O SUFICIENTE, SE VOCÊ POSSUI A SABEDORIA DE QUE EXISTE UM DEUS NA CONDUÇÃO DA MISSÃO E A VONTADE INCESSANTE DE SER VENCEDOR.

6/7
8

NO SÁBADO, 26 de junho, levantamos cedo e persistimos no alinhamento, feito por nós, da estratégia de incursões na mata. Permanecemos em alguns locais críticos por um período, com a intenção de vermos Lázaro passar ou ouvirmos seu movimento, porém esse foi o dia em que nos sentimos mais distantes dele. Não havia nenhuma nova pegada e nenhum sinal do fugitivo pelos caminhos percorridos.

Assim, tiramos algumas horas para descansar e traçar planos, ao mesmo tempo em que esperávamos informações da central de comando, que pudessem nos orientar. O cansaço muscular ainda existia, contudo a resistência às dores já estava dominando nosso corpo. A esperança de que acharíamos Lázaro, entretanto, era o sentimento mais latente entre nós.

Nunca perdemos a fé de que seríamos nós os responsáveis por capturar o criminoso, mas é bem verdade que, conforme os dias se passavam, alguns iam ficando cabisbaixos, desapontados, e foi necessário dar uma reerguida no grupo porque sabíamos desde o começo que não seria uma missão fácil.

Como contado ao longo destas páginas, já contabilizávamos 11 dias ininterruptos sem sair do mato. E aquele sábado não seria diferente. Ao voltar do nosso trajeto, já à noite, ouvimos um som alto vindo da direção da chácara de Neguinho. Naquele momento fiquei bem irritado, para não dizer "puto". Era uma situação que estava se repetindo constantemente. Já tínhamos verificado aquela casa inúmeras vezes, inclusive naquele dia, fazendo varreduras e desligando o som. Já tínhamos decifrado o código referente ao uso do som e em relação às instalações elétricas com ligação na maçaneta da porta. O que estávamos deixando passar despercebido?

Como o tal som tinha sido ligado novamente, decidimos fazer uma nova averiguação na propriedade durante a madrugada. Realizamos a progressão pela mata de modo que cercamos a residência. Ao nos aproximarmos da casa, percebemos que a tática de manter o som no último volume se mantinha a mesma. Na porta principal, a armadilha com o fio de energia tinha sido colocada, como de costume, e havia somente um lugar de acesso, uma janela atrás da cozinha. E foi por ela que entramos no imóvel sem que fosse desfeita a armadilha.

Mais uma vez não encontramos nada a não ser vestígios de que alguém havia estado no local, como um colchão e peças de roupas sujas. Mais tarde, confirmamos que tudo estava sendo conservado mais ou menos como na última sondagem e descartamos, por ora, a ideia de que Lázaro havia passado por ali. Às cinco horas da manhã, regressamos ao posto-base e descansamos um pouco.

PEGADAS FRESCAS

COMEÇAMOS O DOMINGO, 27 de junho, realizando as incursões de acordo com novas informações recebidas. Em seguida, pedi ao Subtenente Ronyeder e ao Subtenente Arantes que verificassem os pontos sensíveis próximos ao nosso posto-base. Ao retornarem, eles relataram que pegadas frescas tinham aparecido no leito do rio.

Em um trecho acima da área das pegadas, eles viram um ovo quebrado, que claramente caíra das mãos de alguém que passara por ali. Esse relato nos fez lembrar que, na noite anterior, enquanto retornávamos da casa de Neguinho, os cachorros da chácara latiam muito. A princípio pensamos que poderia ser para nós mesmos. Mas, diante daquelas novas pistas, outra hipótese começou a ser considerada pelo grupo.

Fizemos questão de confirmar que ninguém, além dos dois policiais que desceram para verificar as pegadas, tinha ido ao rio, tampouco pegado algum ovo. Avançamos rio abaixo, no sentido da cidade, para procurarmos mais vestígios e notamos que aquela parte do terreno já não estava tão preservada. Existiam muitas pegadas de coturnos e não conseguimos enxergar algum sinal novo ali. Resolvemos então montar pontos de observação próximos à casa.

Por volta das 23 horas, recebi a informação de que uma equipe da Polícia Civil de Goiás havia descoberto o criminoso na casa da ex-sogra, em Águas Lindas de Goiás.

Na tentativa de deter os policiais, o criminoso gritou: "Se alguém entrar, eu atiro na cabeça". A casa onde tinha acontecido o fato estava a 14 quilômetros de distância da nossa base de apoio se o caminho fosse percorrido por estradas convencionais.

Imediatamente nos deslocamos ao lugar indicado, sempre orientados pelo Subtenente Arantes, que foi o analista dos mapas e das direções que deveríamos tomar no decorrer das nossas ações. Chegamos ao local. Quando desci da viatura e fiquei de frente para a casa da ex-sogra de Lázaro, senti um arrepio. Era exatamente como o casebre que eu havia sonhado na noite em que orei e pedi a Deus o sinal. Lá estava ela diante dos meus olhos, a casa simples, já envelhecida pelo tempo. Fiquei impressionado! Tudo era precisamente igual ao que descrevi no primeiro capítulo deste livro, lembra-se?

Fiquei parado, olhando aquela cena por alguns minutos. Um turbilhão de pensamentos me veio à mente. Principalmente a sede que ele tinha de me matar durante o sonho. Tudo o que passamos, do dia em que chegamos até aquele instante, voltou à tona. Os sinais recebidos, os apuros que vivenciamos. O Brasil inteiro esperava por uma resposta. E a expectativa de uma nação inteira poderia ser atendida em poucas horas. Naquela altura eu já sabia que não seria naquela casa que eu iria capturar Lázaro Barbosa, como indicou o sonho que tive antes de integrar a força-tarefa. Mas, então, como seria o confronto final?

PARA REFLETIR

Reflita sobre suas emoções negativas. Você deixa que elas o paralisem? Diante do primeiro erro, fracasso ou decepção, permite que o desânimo tome conta de sua mente e o impeça de seguir adiante?

Quando estamos em sintonia com Deus e temos confiança de que Ele está conosco em todas as situações, não precisamos temer mal algum, porque Ele é quem cuida de todos os detalhes por nós. Ele nos mostra o caminho, cabe a nós aceitar o que vem dEle e enxergar a direção indicada.

Eu vivi isso para entrar nessa árdua batalha. Confiando em Deus, prestando atenção aos sinais e não deixando nunca de fazer a minha parte, contribuí com minha equipe para chegarmos com bravura ao desfecho de nossa missão.

O medo paralisa as pessoas. Em quais momentos você sente medo? O que você faz para ser livre desse mal?

FORÇA-TAREFA: ENTENDA O INÍCIO

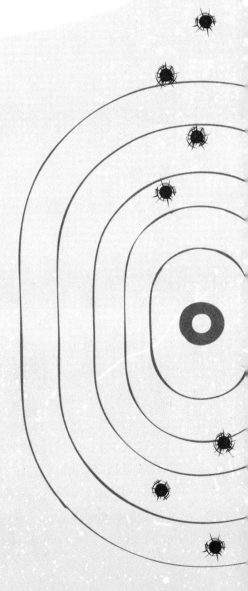

ORGANIZAR E PLANEJAR. ESTÁ AÍ O CAMINHO PARA GERENCIAR UMA MISSÃO DE ALTA COMPLEXIDADE. ELA EXIGE A ESCOLHA DE POLICIAIS EXTRAORDINÁRIOS E UM COMANDO QUE SABE DAR ORDENS PRECISAS E DELEGAR FUNÇÕES EXATAS À TROPA.

ERA INÍCIO DA noite do dia 12 de junho. Tocou o telefone do Secretário de Segurança Pública de Goiás, Rodney Miranda. Do outro lado da linha, o Secretário de Segurança Pública do Distrito Federal (DF), Júlio Danilo. Ele informava que, naquele momento, um fugitivo do DF acabava de passar para território goiano. O foragido carregava consigo um crime bárbaro que havia cometido na quarta-feira anterior, 07 de junho: assassinara uma família inteira em Ceilândia (DF) e procurava abrigo na zona rural de Goiás, já que as polícias de Brasília estavam na busca pela detenção do indivíduo. O nome do criminoso foi informado ao titular da SSP-GO: Lázaro Barbosa. O intuito daquela ligação era comunicar à Secretaria de Segurança Pública de Goiás a entrada do bandido em território goiano e pedir autorização para que as forças policiais do DF pudessem ultrapassar as fronteiras e continuar a perseguição.

A autorização para o emprego das tropas do DF em Goiás foi concedida de imediato. Rodney Miranda desligou o telefone com Júlio Danilo e em seguida realizou uma chamada ao Comandante-Geral da Polícia Militar de Goiás, Coronel Brum. A ordem era: reforçar o policiamento com as unidades de área e especializadas. As informações indicavam que o criminoso estava na região de Cocalzinho de Goiás. Da mesma forma, o Delegado-Geral da Polícia Civil, Alexandre Pinto Lourenço, foi acionado. Depois que a missão foi paga ao alto comando da Segurança Pública de Goiás, o Governador Ronaldo Caiado foi comunicado do que estava acontecendo. O Chefe do Executivo goiano convalidou a iniciativa de Rodney Miranda e deu total apoio às ações policiais. O Governador designou ainda que fosse feito o possível, empregando a tropa que notasse essencial, durante o tempo necessário, para capturar o bandido.

A noite de sábado para domingo foi ainda mais longa que o normal. Cada ação policial era reportada ao chefe da SSP-GO. Chegou ao comando a notícia de que uma família havia sido feita refém pelo foragido na zona rural de Cocalzinho de Goiás, naquela madrugada. Diante daquilo, foi exigido empenho de mais esforços policiais. No início da manhã de domingo mais equipes de Goiás foram empregadas. Guarnições do Batalhão Rural, do COD, do BOPE, da Companhia de Policiamento Especializado da PMGO (CPE) de Anápolis, da ROTAM e do GT3 pegaram estrada a caminho da cidade, onde foi montada a primeira base de apoio operacional da caçada.

Com mais equipes em campo, de hora em hora os comandantes de forças e o Secretário Rodney Miranda eram atualizados sobre o trabalho. A determinação do comando era clara: o objetivo principal era não deixar que o criminoso psicopata fizesse mais vítimas na área. Os policiais estavam progredindo em campo de forma cautelosa, por se tratar de uma vasta zona rural e com peculiaridades geográficas que favoreciam o foragido. Lázaro Barbosa havia crescido na região e se tornado "mateiro", nome dado a pessoas que são exploradoras de florestas e matas.

As forças de segurança de Goiás e do Distrito Federal avançavam. A tropa do Batalhão Rural da PMGO estava em campo visitando e cadastrando as propriedades rurais. Era uma imensidão de casas habitadas e não habitadas. Alguns moradores tiveram oportunidade de deixar sua residência e ir para a cidade. Outros não tinham opção diferente de continuar em suas casas e confiar no trabalho das polícias. As equipes evoluíam no trabalho de pente-fino a fim de identificar habitações com moradores e dar a eles o contato de emergência dos policiais, além de mapear todas as propriedades da região. Ainda no domingo, a Polícia Rodoviária Federal (PRF) integrou a ação. Agentes foram encaminhados para realizar bloqueios na BR-070, rodovia que liga Cocalzinho de Goiás a Águas Lindas. O perímetro estava fechado. Todos os carros de passeio, caminhões e motocicletas que passavam pela via eram parados e vasculhados pelos policiais.

As horas passavam. Notícias chegavam o tempo todo de locais onde o foragido pudesse ter sido visto. O medo começou a ser a principal companhia dos moradores da região e a presença da polícia era o afago. À medida que as informações das ações das equipes eram reportadas ao núcleo de comando, coordenado pelo Secretário Rodney Miranda, uma estratégia ousada começou a ser considerada. Por decisão do chefe da SSP-GO, caso Lázaro Barbosa não fosse capturado ainda naquele dia, ele iria pessoalmente, no dia posterior, ao local das buscas para conhecer a área onde a operação estava em andamento.

A CRIAÇÃO DA FORÇA-TAREFA

ÀS 7H30 DA manhã de segunda-feira, 14 de junho, o Secretário Rodney Miranda desembarcou, com as equipes do GRAER, em Edilândia. A cidade é um povoado do município de Cocalzinho de Goiás, que fica a 28 quilômetros sentido Águas Lindas de Goiás. A ida do chefe da SSP-GO ao local era para definir estratégias de acordo com a dinâmica da região. Assim que chegou ao distrito, tomou conhecimento de que as diligências realizadas durante a última noite apontavam que o sujeito continuava no perímetro. Naquela data, então, foi definido que Edilândia seria a nova base operacional da caçada. Foi nesse dia que a operação tomou corpo de uma verdadeira força-tarefa. O trabalho conjunto estava sendo integrado pelas polícias Militar e Civil de Goiás e do Distrito Federal, pela Polícia Rodoviária Federal (PRF), além das tropas aéreas de Goiás, do DF e da própria PRF.

De forma improvisada, devido à estrutura limitada do distrito, foi montado um escritório de monitoramento operacional com uma rede de internet exclusiva para os agentes e computadores que fossem capazes de mapear os locais onde, segundo denúncias de moradores, o indivíduo havia sido visto. A central funcionava numa sala de um posto de combustível à margem da BR-070. Vários fatores dificultavam a troca de informações com as guarnições em campo, como a falta de internet e de rede telefônica.

Depois de estabelecer uma central de controle, o chefe da SSP-GO, que era o coordenador-geral da ação, se reuniu com as forças policiais que estavam imbuídas na captura do foragido, redefiniu algumas estratégias organizacionais e por fim atendeu a imprensa que estava acompanhando o caso. Ao dar início à força-tarefa, era importante ressaltar, publicamente, o empenho das equipes e orientar aos moradores da região que todas as informações que chegavam aos integrantes da ação estavam sendo rigorosamente apuradas, para tentar acalmar as pessoas que moravam naquele perímetro.

"Temos informações de que ele está aqui nessa região, informações de que ele está em Águas Lindas e informações de que ele teria voltado para o DF. Na força-tarefa, nós temos um grupo que fica mais restrito àquelas informações mais contundentes, mas temos várias equipes checando cada uma. Vamos trabalhar em todas as vertentes até resolver."

Entrevista coletiva concedida pelo Secretário de Segurança Pública de Goiás, Rodney Miranda, à imprensa no dia 14/06/2021.

A POLÍCIA ESTAVA por todos os lados. As incursões eram mais intensas num raio de 10 quilômetros da base operacional. Naquela tarde, policiais do Batalhão de Policiamento com Cães (BPCães), do Batalhão de Choque da PMGO e da PMDF integraram a operação. Denúncias de que o criminoso havia sido visto chegavam de minuto a minuto. Todas as informações eram cuidadosamente conferidas. A atuação policial era também no sentido de mostrar aos moradores que os esforços contemplavam a garantia da segurança da população.

O dia chegou ao fim. E, com a noite, muita chuva caiu em Edilândia. Fazia muito frio. As buscas, contudo, continuavam. Vários policiais permaneciam em incursões. Por volta das 21 horas, a central recebeu um chamado: um caseiro, de uma fazenda da zona urbana, havia trocado tiros com o fugitivo.

As equipes que estavam na base saíram em comboio para conferir a informação. Outras foram reposicionadas para dar assistência na checagem da situação. No local, durante conversa com o caseiro, foi identificado que Lázaro realmente esteve na fazenda pedindo comida e ameaçou os moradores.

Foi relatado aos policiais que, ao ver negado seu intento de entrar na casa, o bandido atirou contra o caseiro, que reagiu usando uma espingarda calibre 22. Marcas que ficaram na parede do lado de fora da residência, próximo a uma janela, mostravam a coragem e a truculência do homem mais procurado de Goiás. A reação do criminoso mostrou, mais uma vez, que ele estava disposto a continuar causando medo e terror por onde passava.

A chuva continuava. O céu estava completamente coberto por nuvens. Os policiais que estavam na casa onde acontecera o confronto aguardavam as equipes de policiamento com cães para entrar na mata em busca do fugitivo. Enquanto isso, foi utilizado um *drone* – veículo aéreo não tripulado – de alta visão noturna, cedido pela Receita Federal para verificar a possibilidade de o criminoso estar por perto. As imagens coletadas, entretanto, não identificaram qualquer tipo de movimentação.

As equipes com os cães chegaram. Deram aos animais objetos que poderiam ajudar a farejar o caminho percorrido por Lázaro. A umidade provocada pela chuva, no entanto, não contribuiu com as buscas. A escuridão da noite com céu coberto de nuvens, o aumento da intensidade da chuva e a dificuldade de visão do percurso colocavam a vida dos policiais em risco. Foi dada a ordem para que voltassem à sede da fazenda.

A certeza de que o fugitivo estava por ali definiu uma estratégia. Nenhuma guarnição iria retrair até o avançar da madrugada, momento em que dariam início a uma nova incursão na mata onde tudo indicava que o alvo estaria escondido. Foi montado um cerco que fechou todo o perímetro da fazenda. Os policiais passaram a noite de campana para limitar a movimentação do bandido. Mesmo com as intempéries, as equipes ficaram em seus postos até receberem autorização para dar início à ação. A facilidade com que Lázaro andava pelo matagal que conhecia por tantos anos, contudo, contribuiu de forma determinante na fuga.

Terça-feira, 15 de junho. O dia nasceu com o céu mais limpo. A força-tarefa só ganhava mais reforço. Chegavam, logo pela manhã, guarnições do Regimento de Polícia Montada – Cavalaria – da PMGO. A notícia que havia chegado para a base operacional, no início do dia, era que o criminoso havia furado o cerco para buscar comida em uma casa próxima de onde concentravam as buscas, mas sem sucesso voltou a se esconder na mata.

> "As denúncias que os moradores nos têm feito nos mostram que ele está aqui na região. As pessoas descreveram as características dele. Inclusive uma delas chegou a conversar com ele [Lázaro Barbosa]. O importante é que ele está aqui e nossas equipes estão aqui, sem arredar um milímetro da missão."
>
> *Entrevista coletiva concedida pelo Secretário de Segurança Pública de Goiás, Rodney Miranda, à imprensa no dia 15/06/2021.*

O RESGATE

"FAMÍLIA REFÉM! FAMÍLIA refém!", disse um dos policiais, responsável por receber e filtrar as denúncias que chegavam até a base de comando. Eram duas horas da tarde de terça-feira. A notícia dava conta de que Lázaro Barbosa tinha entrado numa fazenda e feito três pessoas de uma mesma família reféns. Equipes terrestres e aéreas se deslocaram para o local. Em questão de minutos, a fazenda estava cheia de policiais de diversas especializadas.

A casa foi encontrada aberta, com portas e janelas escancaradas. Mas nem sinal de morador. Os móveis e as roupas de cama estavam remexidos. As evidências indicavam que alguém tinha passado por lá. Os policiais se embrenharam no mato com muita rapidez e desceram o morro íngreme que finalizava no leito de um rio. Era visível que o principal objetivo não tinha saído da mente de cada um deles: garantir que não houvesse mais vítimas do criminoso.

Da sede da fazenda era possível ver o quanto o relevo dificultava a ação dos policiais. Montanhas que eram verdadeiros despenhadeiros formavam grandes barrancos ao longo do leito do rio. O corredor estreito desenhado pela água corrente, as diversas grotas e os galhos de árvores que caíram com o tempo faziam do percurso um perfeito refúgio. E lá estava Lázaro Barbosa com três reféns, numa das grotas, pois a geografia acidentada naturalmente facilitava o esconderijo. Minutos depois que as primeiras guarnições desceram morro abaixo, foram ouvidos gritos e disparos. Em seguida, os três reféns foram resgatados com vida e sem um arranhão sequer.

Outro cerco foi montado. Já era noite. O céu nublado, o grande número de policiais dentro da mata fechada e a adrenalina de terem chegado tão perto do criminoso exigiam cautela. A estratégia era permanecer com as equipes fechando o perímetro o máximo possível para impedir que o fugitivo saísse dali sem ser capturado.

"Nós estamos com grande parte das nossas equipes no perímetro. Vamos esperar adentrar a madrugada, visto a periculosidade desse sujeito. Essa família foi salva graças ao trabalho de saturação que nossos policiais estão fazendo em todas as propriedades da região. Ontem [segunda-feira, 14/06/2021] uma equipe nossa esteve nessa residência e passou o telefone de emergência. A filha do casal mandou uma mensagem para o policial que esteve lá, ele nos acionou. Nós corremos pra lá. Os primeiros a chegar foram os policiais do serviço reservado da PMGO, simultaneamente ao GRAER [Grupamento de Radiopatrulha Aéreo da PMGO], e quando os policiais chegaram próximos *(sic)* ao criminoso, ele usou o mesmo modo operandi *(sic)* de sempre: levou a família para a beira do rio, e antes de começar qualquer tipo de agressão, a nossa polícia chegou e salvou os reféns. É importante destacar que ninguém deixou que ele [Lázaro Barbosa] escapasse. Houve um confronto e ele teve a oportunidade de ver a polícia chegando, e os policiais não viram ele *(sic)* porque os nossos guerreiros estavam visualizando a família. Quando a equipe chegou muito perto, ele atirou. Atirou no rosto de um dos policiais, pulou o barranco, os policiais tentaram ir atrás e ele continuou atirando.

Os militares salvaram a vida dessa família."

Entrevista coletiva concedida pelo Secretário de Segurança Pública de Goiás, Rodney Miranda, à imprensa no dia 15/06/2021.

AS BUSCAS CONTINUAM

MAIS UM DIA de busca se iniciava. Na quarta-feira, 16 de junho, o Secretário de Segurança Pública de Goiás, Rodney Miranda, chegou no início da manhã à base de operações, acompanhado do Comandante-Geral da Polícia Militar de Goiás, Coronel Brum. Já estavam a postos: o Subcomandante-geral da PMGO, Coronel André Henrique Avelar de Sousa, o Comandante do 5º Comando Regional da PMGO, Coronel Edson Ferreira Moura, o superintendente de Polícia Judiciária da PCGO, Reinaldo Koshiyama de Almeida, e os demais comandantes das unidades envolvidas na força-tarefa.

Uma reunião entre os integrantes da cúpula da SSP-GO, representantes das forças da SSP-DF e da PRF definiu a mudança da base operacional para o distrito de Girassol, que fica entre Cocalzinho de Goiás, a 45 quilômetros, e Águas Lindas de Goiás, a 17 quilômetros. A alteração do centro de comando foi fundamentada em uma nova estratégia que logo seria colocada em prática. Aliadas a isso, informações colhidas ao longo da madrugada e início da manhã daquele dia contribuíram com a decisão tomada pela coordenação.

"Estamos nos reorganizando, trabalhando num raio menor, mas não estamos descartando nenhuma informação que nos tem sido repassada, inclusive algumas de deslocamento dele [Lázaro

Barbosa]. A Polícia Militar de Goiás, com apoio das especializadas da Polícia Militar do DF, vai saturar alguns perímetros delimitados pela gente, e a Polícia Civil de Goiás e a do DF vão atender as notícias e informações que chegarem até nós, depois de filtradas pela nossa inteligência."

Entrevista coletiva concedida pelo Secretário de Segurança Pública de Goiás, Rodney Miranda, à imprensa no dia 16/06/2021.

A NOVA BASE de operações foi instalada na sede do pelotão do 17 º Batalhão da PMGO, situada à margem da BR-070. As equipes foram direcionadas para o local, aguardando a redefinição de atuação das unidades. Sob determinação do Comandante-Geral da Polícia Militar, Coronel Brum, os trabalhos das especializadas foram reorganizados por quadrantes. A área de busca foi mapeada e cada unidade ficou responsável por saturar uma região específica.

Nesse terceiro dia de força-tarefa, o Comando de Operações Táticas (COT) da Polícia Federal integrou o trabalho. A chegada das viaturas despertou curiosidade tanto da imprensa que acompanhava a movimentação na porta do pelotão quanto dos moradores de Girassol. As especulações aumentavam junto à ansiedade de ver Lázaro Barbosa capturado. As mudanças nas estratégias de busca não podiam ser divulgadas em sua essência. Estava em jogo uma operação integrada jamais vista no país. Várias equipes trabalhavam na coleta de dados que norteavam as buscas 24 horas por dia.

DO PELOTÃO PARA A SEDE DA ESCOLA MUNICIPAL

NO INÍCIO DA manhã de quinta-feira, 17 de junho, outra mudança do local da base operacional foi definida. O motivo era a viabilização de mais espaço, já que a força-tarefa tinha ganhado integrantes de várias agências. O posto de comando foi transferido para uma escola municipal da cidade. Com a alteração, foi possível abrigar por alas todas as forças que passaram a trabalhar em conjunto na captura do criminoso: Polícia Militar de Goiás (PMGO), Polícia Militar do Distrito Federal (PMDF), Polícia Civil de Goiás (PCGO), Polícia Civil do Distrito Federal (PCDF), Corpo de Bombeiros Militar de Goiás (CBMGO), Corpo de Bombeiros Militar do Distrito Federal (CBMDF), Superintendência da Polícia Técnico-Científica da Secretaria de Segurança de Goiás (SPTC-SSPGO), Polícia Penal do DF, Polícia Federal (PF), Polícia Rodoviária Federal (PRF), Agência Brasileira de Inteligência (ABIN), Receita Federal (RF) e integrantes da Superintendência de Inteligência Integrada da Secretaria de Segurança Pública de Goiás (SII-SSPGO). Cerca de 270 profissionais de segurança pública estavam em Girassol totalmente envolvidos na caçada.

As salas de aula foram separadas entre as forças de segurança, por agências e unidades especializadas. Algumas serviam como alojamento, outras como salas de inteligência. Havia também as alas que funcionavam como departamentos de mapeamento, além da central de comando e controle, e aquelas que eram usadas para reuniões restritas de gerenciamento de crise. A certeza unânime que se tinha dentro daquela base de operações era a de que desistir daquela missão nunca seria sequer cogitado como parte do plano.

Era comum, contudo, ver policiais pelo chão dos corredores, ou encostados em pilastras do pátio, improvisando um canto para um rápido cochilo. Depois de ficar mais de 24 horas embrenhado na mata, qualquer lugar era o ideal para se encostar. Enquanto isso, os coturnos, totalmente encharcados por conta das incursões, ficavam expostos ao sol. Era questão de minutos e novas pistas apareciam. O descanso (se é que pode ser chamado assim) era interrompido e, num piscar de olhos, os policiais estavam a postos como se o cansaço tivesse acabado num passe de mágica. E seguiam para mais uma incursão em busca de Lázaro.

"Estão todos muito motivados, muito aguerridos. Eu até tentei fazer algumas substituições nas equipes, para que os que estão aqui pudessem fazer um rodízio para descansar, mas todos se recusam a ir. Eles querem ficar aqui até o desfecho. São verdadeiros heróis. Além da motivação dos nossos guerreiros, ainda estamos recebendo todo aparato necessário. Recebemos mantimentos, colchões e cobertores da OVG, além de muito carinho e oração da população de Girassol."

Entrevista coletiva concedida pelo Secretário de Segurança Pública de Goiás, Rodney Miranda, à imprensa no dia 17/06/2021.

O FAZENDEIRO

JÁ ESTÁVAMOS NO 10º dia de força-tarefa. Era quinta-feira, 24 de junho. A pressão por uma resposta de captura de Lázaro vinha por todos os lados. A imprensa, que tinha montado uma campana na porta da base de operações, não perguntava outra coisa a não ser: "Lázaro foi pego? O que tem de novidade?" Notícias sem fontes oficiais eram divulgadas a todo momento. Outro grande trabalho da operação foi desmentir as informações falsas, conhecidas como *fake news*, que eram criadas sem limites e sem precedentes.

"A *fake news* é (*sic*) um problema. Todas as informações inverídicas atrapalham o andamento da força-tarefa, porque não só nossas equipes de inteligência, como nossas unidades operacionais, precisam checar. Às vezes a gente deixa de atender mais rapidamente uma informação procedente, para checar uma informação que não tem relevância. Tem muita gente falando bobagem, falando o que não sabe, querendo, não sei o porquê, tumultuar o nosso ambiente que é extremamente harmonioso e extremamente profissional. Temos aqui forças das três esferas da federação, Estado de Goiás, Distrito Federal e Governo Federal. Eu já trabalho há quase 40 anos com segurança pública e eu nunca vi um quantitativo tão grande de policiais de instituições diferentes, tão harmônicos e tão determinados, com um único objetivo e sem vaidade."

Entrevista coletiva concedida pelo Secretário de Segurança Pública de Goiás, Rodney Miranda, à imprensa no dia 23/06/2021.

NO INÍCIO DA tarde daquela quinta-feira, os policiais das equipes de inteligência e da equipe de comando e controle da base de operações tiveram acesso às informações que pareciam ser "quentes". Foram coletados depoimentos e evidências que levavam a crer que Lázaro Barbosa estava sendo acobertado por um fazendeiro da região. As investigações identificaram que o fugitivo estava escondido na sede de uma fazenda em que ele havia trabalhado anos atrás.

Ao cruzar as informações, os policiais concluíram que todas as características levantadas até o momento coincidiam com o perfil de uma propriedade rural cujo proprietário havia proibido a entrada dos militares que foram até o local para realizar a varredura e saturação da área. O fazendeiro disse que estava seguro e dispensou o apoio dos PMs. Por não possuírem autorização judicial para realizar busca na propriedade, os militares não tiveram alternativa.

O refino dos elementos analisados, que colocavam sob suspeita o fazendeiro, deu início a mais uma ação. As equipes aéreas foram direcionadas. O comboio terrestre se deslocou com agilidade e precisão. Poucos quilômetros foram percorridos e a sede da fazenda foi avistada.

Do lado da casa principal, um robusto bambuzal. O diâmetro da vegetação, que havia sido plantada em formato de um círculo e tinha mais de seis metros de altura, era capaz de esconder um time de futebol em seu interior. Logo adiante havia um casebre abandonado, cercado de ruínas provocadas pelo desgaste do tempo. No tal casebre, foram identificados fios de energia adaptados com tomadas em pleno funcionamento, além de pedaços de tábuas que pareciam arquitetar uma cama improvisada.

Quando os policiais foram até a sede da propriedade, estava somente o caseiro no local. Ele deixou que as equipes entrassem. Num primeiro momento, confirmou que Lázaro havia se asilado ali, mas disse que isso tinha acontecido durante a última noite. O homem demonstrava sinais de insegurança e tensão. O interrogatório continuou a ser feito e nenhuma frase era dita pelo caseiro sem que ele gaguejasse. O comportamento indicava vulnerabilidade das informações.

Mais viaturas foram chegando ao local, tanto da Polícia Militar quanto da Polícia Civil. Naquela altura das investigações, não havia mais dúvida alguma de que aquele lugar tinha sido usado como esconderijo. As equipes vasculharam tanto o interior da casa quanto o perímetro externo. Em pouco tempo de varredura, policiais militares encontraram duas garruchas de calibre 22 – popularmente conhecidas como espingarda – e cinquenta munições. Uma delas com a numeração raspada.

O caseiro foi questionado sobre a procedência do armamento. Ele disse que não sabia da existência das espingardas, mas revelou às equipes que, ao contrário do que tinha falado antes, Lázaro Barbosa havia se abrigado naquela propriedade outras vezes para passar a noite, com o consentimento do proprietário da fazenda.

A partir daquele momento o rapaz começou a dar detalhes. Informou que o fugitivo estava na propriedade no momento em que as equipes aéreas se aproximaram. Ele ainda relatou que o criminoso estava com um ferimento na perna direita e que ao fugir do cerco policial, primeiro se escondeu no bambuzal e, quando percebeu que tinha oportunidade, se embrenhou na mata que cobria o leito do rio ao fundo da fazenda.

"A força-tarefa tem evitado conceder coletiva de imprensa nesses últimos dias porque começou a ser considerada, desde a semana passada, uma nova linha de investigação. As análises indicavam que não era possível um sujeito ter essa habilidade toda de movimentação, sem ter apoio de outra pessoa. E hoje nós prendemos dois suspeitos que possuem indícios de que estavam auxiliando o sujeito nas fugas e, principalmente, a se esconder da ação policial. Eles estão sendo autuados, tanto por porte ilegal de arma como por facilitação da fuga de um foragido. Uma das armas encontradas na propriedade, inclusive, possivelmente se trata de uma das que ele furtou numa das residências que entrou. E ele foi visto numa das propriedades invadidas portando uma garrucha."

Entrevista coletiva concedida pelo Secretário de Segurança Pública de Goiás, Rodney Miranda, à imprensa no dia 24/06/2021.

A ADVERTÊNCIA

UMA HIPÓTESE HAVIA sido levantada pelos integrantes da força-tarefa: moradores da região poderiam se arriscar e dar abrigo ao foragido, uma vez que a polícia tinha acabado de descobrir o local onde ele usava como ponto de apoio há dias. Era importante informar à sociedade que quem esconde bandido também está cometendo crime. Diante disso, o Secretário Rodney Miranda, ao conceder uma coletiva de imprensa para atualizar o caso e falar da prisão de dois suspeitos de dar abrigo ao criminoso, advertiu a população.

"Eu queria deixar bem claro uma coisa: quem facilita a fuga de um foragido também está cometendo crime. Nós temos indícios que há outras pessoas ajudando e nós vamos chegar até elas. Nós temos toda a tranquilidade para trabalhar. A gente tem alcançado o nosso primeiro grande objetivo, que é o de não permitir que ele cometa mais crimes. E agora estamos cada dia mais pró-

ximos desse foragido e dessa rede de criminosos
que apoia, absurdamente, esse sujeito."

*Entrevista coletiva concedida pelo Secretário de Segurança Pública
de Goiás, Rodney Miranda, à imprensa no dia 24/06/2021.*

AS DÚVIDAS DE que Lázaro Barbosa recebia apoio para pernoitar, se escondendo das madrugadas gélidas daqueles dias e das buscas policiais, não existiam mais. O tempo percorrido pela força-tarefa já havia sido suficiente para levantar outros locais em que o criminoso buscaria refúgio. Prova disso foi que, após o desmantelamento de um dos pontos de apoio do bandido, quatro dias foram suficientes para que o fugitivo fosse capturado.

PARA REFLETIR

A melhor maneira de gerenciar importantes missões é organizar e planejar cada etapa do processo, desde a ideia até a sua execução. Outra boa estratégia é avaliar a missão, reforçando seus pontos positivos e estudando melhorias para o que não saiu a contento durante a operação.

Neste capítulo do livro você acompanhou a importância de um líder saber gerenciar uma missão de alta complexidade, pois ela exige comando capacitado e seguro para dar ordens precisas à equipe. Em algumas situações o erro pode custar caro demais, gerando sérias consequências.

Esse é o tipo de situação que serve como exemplo tanto para profissionais e líderes de equipes quanto para pessoas que exercem função de comando e liderança em sua família. Então, reflita:

Você está no comando da sua vida? Organizar e planejar fazem parte do seu modo de agir? O resultado de toda operação pode ir por água abaixo sem organização e planejamento. Assuma o seu posto!

AGULHA NO PALHEIRO

AS CONDIÇÕES GEOGRÁFICAS JAMAIS DEVEM SER IGNORADAS POR QUEM CONDUZ A MARCHA DE UMA TROPA. MORROS ÍNGREMES, DESNÍVEIS INCLINADOS E INESPERADOS COLOCAM A VIDA DO POLICIAL EM RISCO. QUEM NÃO LEVA ISSO EM CONSIDERAÇÃO NÃO ESTÁ PREPARADO PARA COMANDAR TROPA EM MISSÃO.

EM UM SIMPLES exercício de imaginação, tente pensar numa área proporcional a cem mil campos de futebol. Conseguiu imaginar? Era essa a exata extensão do território onde se concentravam as buscas a Lázaro. A medição foi feita por meio de mapeamento tecnológico realizado pelas equipes de inteligência que atuavam na força-tarefa. A expressão "procurar agulha no palheiro" não era um pingo de exagero, levando em conta o espaço de varredura onde o trabalho estava sendo realizado. E as dificuldades iam adiante. Além do tamanho da área, o local possuía uma vegetação densa e ainda abrigava uma grande variedade de cavernas.

O policial civil do DF, que hoje está aposentado e é especializado em espeleologia (ciência que estuda as cavidades naturais), Carlos Roberto Aquino Caetano, esteve na base de comando da força-tarefa, contribuindo com informações do estudo que havia realizado no local. Ele explicou que entre as grotas está, inclusive, a maior do mundo em formação de micaxisto.

> "Quando se está dentro destas grotas, praticamente fica isolado do mundo exterior, atravessando várias propriedades, sem que seus donos percebam."
>
> *Carlos Roberto Aquino Caetano,*
> *policial civil aposentado do DF e espeleólogo*

DE ACORDO COM estudos da região realizados durante anos por Carlos Roberto, o relevo do local é do tipo altiplano, ou seja, possui superfície elevada. A altitude aferida ultrapassa mil metros. As serras possuem uma característica conhecida tecnicamente por escarpas rochosas, o que significa formação de penhasco ou de encosta íngreme. Alguns desníveis são muito inclinados, além de inesperados, e foram formados por drenagens naturais causadas, ao longo do tempo, pela chuva. Das várias grotas existentes, a maioria tem extensão de cem metros, alimentadas por pequenos cursos d'água. Elas formam ribeirões de profundidades médias, com afloramentos de rochas, que são como erosões e deslizamentos de solos, que dificultavam o deslocamento da operação. Por outro lado, favoreciam a ação de Lázaro por conhecer muito aquele terreno melindroso.

"A geografia do local, para um bom conhecedor, se torna um ambiente extremamente favorável a se camuflar na vegetação, nos brejos e grotas, estas com as cavidades e locais onde uma pessoa *'expert'* se esconde com muita facilidade. É difícil pra pessoa conseguir se locomover e sistemas tecnológicos podem não conseguir captar."

Carlos Roberto Aquino Caetano,
policial civil aposentado do DF e espeleólogo

PARA REFLETIR

Quem não leva em consideração as reais condições para desenvolver uma atividade não está habilitado a desempenhá-la com eficiência, muito menos liderar uma equipe. Em nosso caso foi fundamental analisar as condições do terreno que pisávamos e do matagal em que estávamos embrenhados, para não colocar em risco nenhum integrante da nossa equipe.

Lázaro era um mateiro, sabia muito bem como se locomover naquela mata. O que o favorecia desfavorecia os policiais empenhados em sua busca, mas ninguém desistiu. Dependendo do ângulo pelo qual avaliamos o fato, a percepção sobre ele muda.

Reflita e responda sinceramente: Você tem noção das reais condições do terreno que está pisando? Está preparado para vencer os obstáculos que surgirem ao longo da caminhada? Você está vendo a sua vida pelo ângulo certo?

APORTES TECNOLÓGICOS

10

A ESTRATÉGIA É UMA CIÊNCIA QUE USA O TEMPO DE FORMA CATEGÓRICA, ESTUDA O ESPAÇO E OS SEUS MELINDRES, ALÉM DE EMPREGAR OS AVANÇOS TECNOLÓGICOS QUE ESTÃO AO ALCANCE DA TAREFA.

EM RAZÃO DA complexidade da ação, a força-tarefa contou com vários meios tecnológicos, alguns, inclusive, previam o apoio da população com informações substanciais, para que se capturasse Lázaro o quanto antes. Nessa operação foram seguidas à risca as fases de um gerenciamento de crise. A Polícia Militar do Rio de Janeiro cedeu duas Estações de Rádio Base (ERBs) e operadores de equipamento para auxiliar no trabalho. O aparelho funcionava numa *pickup* e era provido de uma torre de 15 metros de altura. Ele permitia a fala, via rádio, das equipes policiais mesmo onde não havia repetidores. As ERBs possibilitaram a conexão entre telefones celulares e uma estação fixa, com a qual os aparelhos móveis se comunicavam. Dada a grande extensão da área de buscas e a dificuldade de comunicação entre as equipes, o instrumento representou uma grande vantagem estratégica na operação.

Outros meios tecnológicos externos utilizados foram os *drones* (veículos aéreos não tripulados) que possuíam, inclusive, visão noturna. Os *drones* infravermelhos conseguiam detectar diferenças de temperatura e registrar movimentação a cerca de 250 metros, mesmo no escuro. O equipamento era capaz de reconhecer o contorno corporal de pessoas se movendo ou até mesmo paradas na mata. A tecnologia foi muito usada durante as buscas noturnas. Para se ter ideia do avanço dos aparelhos empregados, vou detalhar o que foi cedido pela Receita Federal. O modelo era um DJI Matrice 210, que possui autonomia de voo de até 35 minutos e conta com duas câmeras. Uma delas é termal (modelo Zenmuse XT) e a outra diurna (modelo Zenmuse Z30).

Agentes do Comando Operacional Tático (COT) da Polícia Federal levaram para a operação binóculos de visão noturna de "geração 3+". O termo indica que o equipamento possui o tipo de tecnologia mais avançado que existe no mundo. Esse tipo de binóculo permite a coleta de dados em até 320 metros de distância para uso em atividade de inteligência policial, interdição de estruturas e progressão em ambientes hostis em situações de baixa luminosidade. O modelo levado para a força-tarefa também é utilizado por polícias internacionais especializadas em contraterrorismo e crises de altíssima periculosidade, envolvendo reféns. Os binóculos noturnos *geração 3+* protagonizaram diversas intervenções policiais mundo afora.

A comunicação do comando da operação foi provida pelo Sistema de Radiocomunicação da Polícia Federal, o Tetrapol. Ele foi o único instalado na região capaz de prover a comunicação de longo alcance, além de contar com o melhor sistema de criptografia existente na radiocomunicação, que é de uso exclusivo da Polícia Federal. No total, setenta rádios foram distribuídos para a comunicação na força-tarefa.

Além dos instrumentos tecnológicos de uso externo, também foi lançado o disque-denúncia, que poderia ser feita por meio de aplicativo de mensagem de celular. Esse era um dos métodos que contavam com o apoio da população. O objetivo era colher elementos que indicassem a movimentação do indivíduo e solicitar a localização fixa de onde o criminoso havia sido visto ou havia agido. Nas primeiras 24 horas de lançamento do canal de denúncias, foram recebidas cerca de mil mensagens e quase 100% delas tratou-se de trotes ou conteúdos que não contribuíram de forma alguma com a operação.

E ainda foi colocado à disposição, exclusivamente da força-tarefa, o aplicativo de denúncia "Brasil Mais Seguro" para que os moradores da região pudessem fazer denúncias ou emitir alertas. A empresa desenvolvedora do programa explicou que a pessoa que emitia o alerta por meio do aplicativo, sem mesmo utilizar a opção de texto, tinha os dados da localização exata encaminhados imediatamente à central de monitoramento, que funcionava dentro da base operacional. Para refinar o conteúdo das pistas, apenas as pessoas que estivessem num raio de cem quilômetros da área de busca estariam habilitadas a enviar um alerta ou uma mensagem para contribuir com a operação. Durante a força-tarefa, mais de oito mil aplicativos foram baixados, mas nenhum alerta ou mensagem deu indícios que contribuíssem com a polícia.

PARA REFLETIR

Durante a caçada a Lázaro Barbosa, uma série de estratégias foi implementada com o intuito de facilitar a busca ao criminoso e de aperfeiçoar o trabalho de toda a equipe envolvida na missão. Além disso, para contribuir com as ações dessa força-tarefa, foram utilizados equipamentos de alta tecnologia e recursos de inteligência que favorecessem o refinamento das pistas ao foragido.

Apesar de inteligentes, não foram todas as estratégias nem todas as ferramentas que surtiram o efeito esperado, tampouco que levaram ao sucesso em sua aplicação, por isso considero importante analisar constantemente a eficiência de nossas ações e a forma como têm sido implementadas, porque nem tudo o que é considerado bom serve para qualquer atividade.

Você está usando as ferramentas corretas para obter os resultados desejados? Quais estratégias vai implementar para alcançar seus objetivos?

Liste pelo menos três novas ferramentas necessárias para aperfeiçoar o desempenho de suas atividades.

O CONFRONTO FINAL

11

QUEM NÃO DESAPEGA DO COMUM NÃO FAZ NADA ALÉM DO COMUM. POLICIAL QUE É POLICIAL NÃO SE RENDE À PRESSÃO. A FIRMEZA NA TOMADA DE DECISÃO É INERENTE À FUNÇÃO DE UM COMANDANTE.

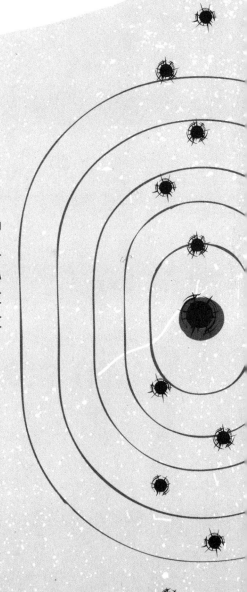

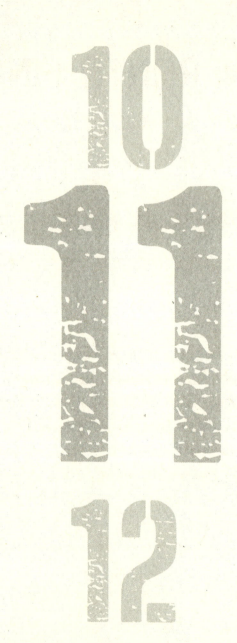

SEGUNDOS DEPOIS DE ter reconhecido que a casa à minha frente era idêntica à que eu tinha visto no sonho, voltei para a realidade. Fui conversar com alguns policiais que também estavam no local. Eu não perdi a calma, em nenhum minuto sequer, durante os 11 dias em que estive na operação. Mas a insolência daquele caboclo estava indo longe demais. Como se não bastasse ter ameaçado os agentes da Polícia Civil, o bandido tinha repetido a mesma frase aos policiais do Comando de Operações de Divisas (COD). Dá para acreditar? Tenham certeza de uma coisa: assassino ousado desafia a própria sorte.

Cerca de 1,5 quilômetro abaixo da casa da ex-sogra, Lázaro, "o valentão", foi tentar sair do mato que estava cercado pelas polícias mais competentes do país. Quando viu uma equipe do COD e uma do Batalhão de Choque, tornou a esbravejar: "Se entrar no mato, eu vou atirar na cabeça".

Policial Militar de Goiás é muito bem-preparado, amigo. Com todas as especializadas mata adentro, fiz o mesmo com a minha equipe. Orientei as posições em que cada um ficaria. Uma assumiria a varredura dentro do mato, outra a retaguarda do lado de fora. O objetivo era encurralar o "brabão". Se ele se movimentasse, seria ouvido e percebido pelos grupos que estavam estrategicamente posicionados, mantendo contato visual uns com os outros.

Ninguém ali estava com pressa. Afobação não é comportamento de policial. Podíamos passar mais uma madrugada inteira naquela mata. Uma noite a mais ou a menos não faria diferença para quem nasceu para defender a segurança do povo.

Não tinha mais jeito. Todos nós tínhamos certeza de que Lázaro seria pego em questão de horas e que não demoraria muito para que tivéssemos notícias da movimentação do sujeito.

E foi dito e feito. Nossa equipe teve acesso à informação de que ele tinha sido visto por volta das seis horas da manhã do dia 28 de junho, a aproximadamente dois quilômetros abaixo de onde o cerco fora montado. Como eu já tinha conseguido identificar todas as características do *modus operandi* que Lázaro estava colocando em prática desde o início da caçada, comecei a montar um quebra-cabeça.

Funcionava assim: quando via que estava sendo seguido, ele corria na mata, alternando entre o lado direito, o curso do rio e o lado esquerdo do sentido em que corria. Ele não fugia em linha reta. E ainda usava sapatos e chinelos de forma invertida. Isso quando não inventava alguma engenhoca para calçar, com o intuito de deixar a impressão de que estava andando na direção contrária da que realmente seguia. Por essa razão, Lázaro sempre formava uma trilha falsa que, até aquele momento, acabava levando a polícia para longe dele.

Mas a situação era: naquela circunstância específica, o bandido estava desviando do bloqueio das outras unidades que ele tinha visto. A vantagem que nosso grupo levava sobre as demais equipes: ele não tinha nos identificado. Então era só eu fazer o cálculo.

Ao contrário do comportamento adotado em fuga, a ação de quando ele sabia que não estava sendo visto era calma e dissimulada. Lázaro possuía a capacidade de ficar horas num mesmo lugar, apenas observando e sem qualquer tipo de reação. Quando decidia fazer algum deslocamento, efetuava de forma velhaca e vagarosa.

Todas essas constatações já haviam sido feitas por nós, ao longo do período em que estávamos embrenhados no mato, coletando todo tipo de dados referentes ao alvo. Sabíamos, inclusive, que numa condição que não lhe representava nenhuma ameaça, ele andava em média um quilômetro por hora. Pensando dessa forma, determinei que minha equipe avançasse cinco quilômetros à frente do ponto em que ele fora visto, segundo a última atualização. Fomos de viatura até onde era possível e montamos um local de emboscada. Eu já tinha calculado que o cerco da operação iria tocar o criminoso para onde eu tinha escolhido como tocaia.

Pouco tempo depois, começou uma grande agitação na região em que estávamos. Barulho dos helicópteros e das viaturas se deslocando em sentido contrário a nós. A equipe hesitou em relação à estratégia que estávamos adotando e eu tive as minhas decisões colocadas em cheque. Como se não bastasse, passei por um policial muito experiente e que tinha ficado por vários dias na sala de comando e controle da base de operações. Ele também estava indo na mesma direção das outras viaturas, o que indicava que havia feito uma leitura diferente da minha.

Eu cheguei a me questionar interiormente. Pensei: "Estou mesmo mandando minha equipe ir para o lado certo?"

Confesso que o deslocamento das outras guarnições em direção oposta à do meu grupo me fez ponderar meu planejamento. Nesse momento me afastei um pouco da equipe. Como disse, afobação e insegurança não são características de policial. Ainda mais para mim, que já vivi tantas ocorrências complexas, mas nenhuma como aquela. De onde estava, ouvi de um dos meus policiais: "O que o senhor vai fazer aí, Coronel? O Lázaro nem aqui está".

Então me lembrei de que estava tudo calculado: um traçado baseado em matemática, levando em conta toda riqueza de detalhes comportamentais do indivíduo colhidos dia após dia, diante de tudo o que nós tínhamos encontrado pela frente e de todos os códigos que haviam sido decifrados. Não tinha condição de estar errado. Pelo menos essa era a minha opinião naquele momento.

Mesmo levando em conta tantos fatores lógicos, resolvi me distanciar. Segui em direção ao rio, sua margem tinha a forma de um barranco íngreme. Decidi entrar e andei até onde a água ficou na altura da minha canela. Naquele momento conversei com Deus porque era Ele quem estava nos conduzindo desde o começo da operação.

"Meu Deus, o Senhor nos trouxe até aqui e creio que exista um propósito para isso. O Senhor se mostrou presente em nossa missão, manifestando, de diferentes formas, sua proteção e condução todos esses dias. Peço, meu Pai, que me norteie em mais esta decisão. Não permita que sejamos desonrados."

Enquanto eu orava, continuava ouvindo o ruído dos motores das aeronaves ao longe. Nós estávamos totalmente sozinhos daquele lado da mata.

Assim que saí da margem do rio, a certeza do que já estava definido retomou meu raciocínio numa força gigantesca. E uma coisa indispensável para um Policial Militar é o comandamento. Nessa hora, fitei cada um deles nos olhos e disse: "Os senhores estão seguindo a quem desde o início desta caçada? Se estiverem me seguindo, vamos continuar aqui. Mas se não for, podem ir atrás da 'porra' da viatura que quiserem". O silêncio pairou. Estava na cara que não ficaram satisfeitos, o que não me importou. Nossa doutrina é clara: comandante que é comandante tem que ter o controle da equipe e a disciplina dos comandados.

Passaram-se poucos minutos e recebemos o sinal de que eu tinha tomado a decisão correta. O Subtenente Arantes disse-me que havia visto um vulto enquanto caminhava a alguns metros acima do ponto da nossa emboscada, no curso d'água. A linha de ação estava, de fato, precisamente correta.

"Tínhamos a opção de atravessar o rio para patrulhar o outro lado, então comecei a subir o curso das águas a fim de procurar um lugar mais raso para atravessar. Como eu tinha quase congelado na noite anterior, queria molhar o menos possível para que o frio não voltasse com força. Fui subindo, subindo, e de repente tive a sensação de que um vulto passou à minha esquerda. Eu não vi nada, apenas senti. Parei, me abriguei e fiquei observando. Quando menos esperei, avistei Lázaro saindo detrás de uma árvore, a poucos metros de mim. 'Caraca', foi a única coisa que pensei. Guardei bem aquela localização e voltei depressa para avisar o pessoal. 'Chefe, eu o vi ali.' E fomos."

Subtenente Arantes

DIVIDI OS POLICIAIS em dois grupos, para evoluirmos a saturação da área nos dois lados do rio. A progressão em uma caçada é uma arte, amigo. Exige meter a cara e ir para o embate. E essa arte ninguém aprende só na teoria. Defini que de um lado ficariam: eu, Subtenente De Paula, Subtenente Ronyeder, 1º Sargento Joubert e Subtenente Arantes. De outro, Capitão Alvim, Subtenente Franco, 1º Sargento Barreto e 3º Sargento Teófilo.

Avançamos alguns metros e pedi que o Subtenente Ronyeder abrisse mais o leque de varredura na direção em que o Subtenente Arantes disse ter visto o vulto. Minutos depois, o Subtenente Ronyeder notou, debaixo de uma árvore bem baixa e densa, algo se mexendo e sinalizou para que os outros policiais parassem. O terreno era de difícil acesso, mas quando um policial encontra o alvo, meu irmão, vai para cima com tudo. O policial chega na calada para pegar o cara de surpresa. Mas se for analisar hoje, friamente, o caminho que fizemos, é difícil entender como conseguimos progredir naquela área.

O helicóptero do SAEG fez um giro de 360° bem em cima de onde estávamos, para voltar à região do cerco. Naquele instante o Subtenente Ronyeder teve certeza de que se tratava de uma pessoa se escondendo e avisou imediatamente à equipe. Pedi que um novo leque se formasse, de modo a cercar o arbusto, e que o avanço fosse feito ao meu comando e com muita cautela.

Como já disse antes, eu tinha certeza de que aquele era o dia em que Lázaro iria cair. Por isso, no início da manhã, quando adotei uma estratégia ousada, tive uma conversa com a minha equipe. Disse ao grupo: "Senhores, o que quero de vocês é tranquilidade, muita atenção e calma. Temos certeza de que Lázaro está dentro deste mato. Vamos avançar e fazer o nosso papel. Aqui está perto da zona urbana e tem gente 'pra caralho' nessa região. Não podemos esquecer que nossa principal missão é proteger os inocentes e capturar o bandido".

Continuamos a progressão. A nossa aproximação foi suficiente para que Lázaro desviasse a atenção do helicóptero, que tinha ido embora, e percebesse o cerco se fechando. E bandido afobado num cerco policial, caro leitor, faz merda. Do mesmo jeito que ele já tinha feito antes, repetiu. Quando notou a presença da nossa equipe, verbalizou: "Se chegar perto, vou atirar na cara!" Mal sabia ele que já esperávamos por isso e estávamos preparados para, mesmo atirando contra nós, irmos até o fim. Tínhamos tudo alinhado: a rapidez com que iríamos investir, a perda de terreno do alvo e a força moral da consciência de cada um que estava ali.

Lázaro disparou os primeiros tiros. Jogados ao chão em busca de abrigo, gritamos para que ele largasse a arma e se entregasse. Mas é burrice o cidadão acreditar que um criminoso como aquele – que estava enfrentando a polícia com uma pistola .380 carregada e um revólver calibre 38 – iria se render porque tínhamos dado o grito de advertência. Obviamente Lázaro não parou de atirar contra nossa equipe. Abrimos fogo e avançamos para mais perto dele. A munição da pistola do criminoso havia acabado, foi então que o avistamos pegando o revólver. Uma nova troca de tiros foi iniciada até que toda a munição de Lázaro fosse descarregada. Em seguida veio o silêncio.

O confronto tinha acabado naquele instante. Então perguntei à minha equipe: "Os senhores estão bem?" E os quatro militares que participaram de forma direta daquele momento responderam: "Sim, senhor!" Tornei a questionar: "Algum dos senhores está ferido ou baleado?" Replicaram: "Não, senhor!"

Imediatamente nos aproximamos do alvo. Lázaro Barbosa estava no chão perto de uma árvore. O 1º Sargento Joubert rapidamente se agachou e tirou a pistola do alcance dele. Nesse instante demos seguimento ao Protocolo Operacional Padrão da Polícia Militar de Goiás. O Subtenente Ronyeder buscou a viatura para levarmos o criminoso ao socorro, já que ali não tinha sinal nem de celular nem de rádio.

Dentro do veículo, a caminho da base de operações em Girassol, onde ficava uma viatura de socorro 24 horas por dia, eu disse aos policiais: "Hoje os senhores deram fim aos dias de terror vividos por 200 mil habitantes que são moradores dessa região e deram resposta a uma nação inteira que acompanhava a força-tarefa da captura de um criminoso frio e psicopata".

REPORTE À BASE DE OPERAÇÕES

NO CAMINHO, ASSIM que conseguimos um sinal, enviei um áudio, já quase sem voz por causa da adrenalina, contando ao grupo o que tinha acabado de acontecer.

> "Atenção, senhores, as equipes que estiverem em deslocamento atrás do Lázaro, retrair para a base. Tivemos o confronto neste momento com o indivíduo e estamos deslocando para a base, seguindo os protocolos de socorro. Parabéns a todas as polícias empenhadas na busca desse sujeito. Deixamos mais uma vez a nossa marca. Aqui em Goiás, ladrão não se cria. Este foi um trabalho em grupo, fruto da união de todas as polícias para que chegássemos ao êxito. Viva o Raio!
>
> *Trecho do áudio gravado no WhatsApp pelo*
>
> *Tenente-Coronel Edson Melo*

ASSIM QUE CHEGAMOS à base, havia um aparato de ambulâncias de prontidão. Colocamos Lázaro no carro do Corpo de Bombeiros, que apressadamente seguiu rumo ao hospital. Ao vermos aquela cena, um peso de uma tonelada saiu das nossas costas, não por ter tirado a vida de uma pessoa, mas sim por trazer alívio às famílias atormentadas da região e aos parentes das vítimas que não teriam seus entes queridos por perto novamente.

A população começou a soltar fogos e mais fogos de artifício. A comoção também sacudiu todos os agentes. Vi policiais chorando, se abraçando e aliviados com o término da caçada.

"Deus abençoa e nunca abandona os bons de coração. O mal sucumbiu diante de nós, o grupo dos nove, que nasceu por causa da caçada e para sempre existirá."

Subtenente Franco

"Trilhamos uma jornada de extremo profissionalismo e de laços fraternos, que resultaram no desfecho positivo."

Capitão Alvim

"O apoio popular foi muito importante, carrego um sentimento de dever cumprido. Após voltar para casa, recebi mensagens de carinho de muita gente. Isso fez tudo valer a pena."

1º Sargento Joubert

"Deus colocou as pessoas certas no lugar certo."

Subtenente De Paula

ACABAVA ALI A *Contagem regressiva* iniciada com o objetivo de devolver a paz a todos os moradores daquela região. Foram 11 dias embrenhados na mata. E levando-se em conta os sinais enviados pelo universo, voltamos ao que diz a numerologia: seria inacreditável dizer que o número 11 significa perfeição? E mais: de acordo com a análise esotérica, esse numeral, além de perfeito, representa principalmente a busca constante por Deus e a sensibilidade, bem como a intuição aguçada, de interpretação das manifestações enviadas por Ele. A energia do número 11 é caracterizada pela ação de procurar o bem da humanidade.

PARA REFLETIR

O comandante de uma missão precisa escolher aqueles que estarão ao seu lado, para isso é preciso analisar o perfil de cada um. Do mesmo modo, você precisa estar cercado de pessoas que acrescentem algo positivo na sua vida. É possível analisar que tipo de pessoas estão a sua volta. Será que elas possuem características e habilidades que podem estimular o seu crescimento pessoal ou profissional, por exemplo? Será que elas contribuem para que você saia do comum, tente novos caminhos e tenha firmeza em suas tomadas de decisão?

Para facilitar sua análise, faça uma lista com as dez principais e mais importantes características que uma pessoa deve ter para fazer parte do seu convívio, em seguida observe atentamente se elas correspondem de alguma maneira àquelas que estão mais próximas a você.

Se suas conquistas não são as desejadas, observe suas companhias, saia do comum, tente novos caminhos, só assim os resultados serão diferentes.

Faça uma lista com cinco novas decisões a serem tomadas por você e executadas ainda este mês.

APOIO ÀS FORÇAS DE SEGURANÇA PÚBLICA

12

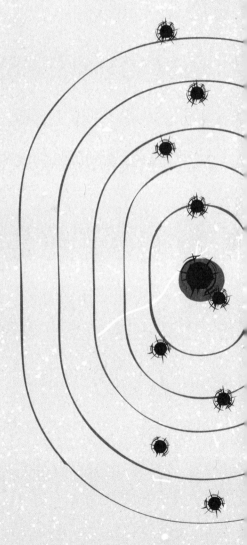

POLICIAIS SÃO FORJADOS PARA ESSA MISSÃO. ESCOLHEMOS DEFENDER A SEGURANÇA DE UMA SOCIEDADE, ATUANDO DENTRO DOS LIMITES DA LEGALIDADE, MESMO COM RISCO DA PRÓPRIA VIDA. NOSSO TRIUNFO É VER O CIDADÃO PROTEGIDO.

ASSIM QUE REPORTEI à base de operações a notícia de que havíamos confrontado Lázaro Barbosa, liguei para o Governador Ronaldo Caiado. A satisfação com que recebeu a notícia de que a população daquela região estava novamente protegida de um criminoso absolutamente cruel foi evidente. A primeira reação do Governador foi perguntar se alguém da equipe havia ficado ferido. Respondi a ele que estávamos todos bem, foi quando nos parabenizou pelo trabalho.

> "Meus cumprimentos a vocês e a todas as nossas polícias, nossas forças de segurança, envolvidas nessa operação. Eu tenho muito orgulho, como Governador, de ser o Comandante em chefe das forças de segurança mais competentes do país."

*Frase do Governador Ronaldo Caiado,
em ligação ao Tenente-Coronel Edson Melo.*

TIVEMOS UMA CONVERSA rápida. Assim que desliguei o telefone, tentei acessar as redes sociais para saber o que tinha sido publicado sobre o caso até então, já que estávamos sem acesso a qualquer sinal até o meio daquela manhã. Quando consegui atualizar, vi que o Governador já havia publicado em suas redes sociais que aquela caçada tinha chegado ao fim. A sinceridade com que ele apoia e admira as forças de segurança pública de Goiás é realmente inquestionável.

"Aqui em Goiás bandido não cresce. Nossas forças de segurança têm total liberdade para trabalhar dentro dos parâmetros legais, com o objetivo de proteger 7,2 milhões de goianos. Eu não canso de repetir: temos as melhores polícias do Brasil."

Entrevista concedida pelo Governador
Ronaldo Caiado à imprensa, no dia 28/06/2021.

EM TODAS AS oportunidades que pôde falar com a imprensa, Ronaldo Caiado exaltou a eficiência, a dedicação e a estratégia cautelosa desempenhada pela força-tarefa. Quando foi questionado o desfecho da operação com a morte de Lázaro em razão do confronto com nossa equipe, o Governador foi preciso na resposta. Quem estava tendo vantagem desde o começo da caçada era o criminoso. Não porque as polícias goianas não são competentes, o que provamos foi exatamente o contrário, mas pelo motivo de o bandido ter um nível de conhecimento daquele matagal, que praticamente nenhum outro morador daquela região possuía.

"É importante ser dito o seguinte: a atitude inicial sempre foi de Lázaro. Os nossos policiais embrenhavam na mata, mas não tinham noção de onde entravam e o que eles teriam pela frente. A iniciativa de agressões, ameaças e ações sempre foi do Lázaro, como aconteceu agora. Quem iniciou os disparos contra os nossos policiais foi exatamente o Lázaro. Ele que iniciou atacando, atirando contra os nossos policiais. O que aconteceu ali foi um confronto e aí lógico que a nossa polícia revidou."

Entrevista concedida pelo Governador
Ronaldo Caiado à imprensa, no dia 28/06/2021.

É IRREFUTÁVEL QUE sofremos muita pressão popular, por causa do medo que tinha se estabelecido naquela região, e da mídia, em virtude da necessidade de noticiar o final daquela operação. Estávamos com toda a cúpula da segurança pública no local. Mas o que me deixava "puto" era saber que a força-tarefa tinha sido, e estava sendo, criticada por "nego de terno", que nunca saiu de um escritório e se intitula especialista em Segurança Pública. Para esses "engenheiros de obra pronta", a ação tinha se estendido demais. O Governador foi abordado para que analisasse essas ponderações diante de todo o aparato empregado. Outra vez foi justo. Ele lembrou que, depois de iniciada a força-tarefa, nenhuma outra pessoa foi machucada ou assassinada pelo criminoso.

> "Eu sou médico. Pra mim, uma vida não tem preço. A operação ocorreu dentro do período que foi necessário e com o aparato preciso. Agora, têm alguns especialistas de gabinete, de ar-condicionado, que quer (sic) dar palpite, mas nunca entrou numa operação dessa. Nunca foi ali ver o que é a realidade de uma mata densa e um relevo acidentado. Como Governador de Estado, a palavra que eu tenho a dizer à população de Goiás é que nossos policiais merecem não só o respeito, mas os aplausos de todos nós pela maneira profissional, competente e corajosa como agiram do começo até o fim dessa história."
>
> *Entrevista concedida pelo Governador*
> *Ronaldo Caiado à imprensa, no dia 28/06/2021.*

DURANTE A FORÇA-TAREFA, tivemos o apoio de quem precisávamos: do Governador de Goiás, do Secretário de Segurança Pública e de todo o comando da gloriosa PMGO. Mas uma coisa não entra na minha cabeça: atividade policial não se aprende na teoria, mas as críticas que diminuem o trabalho dos militares que assumiram defender a paz de gente que nunca nem viram vão durar até quando?

O COMUNICADO

ANTES DE COMUNICAR minha escolha àqueles que seriam meus parceiros de jornada, a primeira coisa que fiz foi solicitar autorização do Governador Ronaldo Caiado para integrar a força-tarefa. O consentimento foi imediato. O Comandante em chefe teve certeza de que nós, policiais da Casa Militar, saberíamos contribuir de maneira valorosa na operação. Ele abriu mão de nove policiais militares que compunham sua equipe de segurança pessoal e me deu autonomia para formar uma equipe e nos deslocarmos para o local das buscas.

Como contado no início do livro, assim que soube da entrada de Lázaro Barbosa em território goiano, o Governador convalidou as decisões tomadas pela cúpula da Secretaria de Segurança Pública e autorizou o emprego das tropas que fossem necessárias para capturar o criminoso. Com a formação da força-tarefa, o Governador começou a acompanhar a movimentação do trabalho da polícia rotineiramente. Todos os dias entrava em contato com o coordenador-geral da força-tarefa, o Secretário Rodney Miranda.

A função que exerço na Secretaria da Casa Militar, como superintendente de segurança do Governador, exige uma proximidade maior com o chefe do Executivo Estadual, além disso, como ele havia autorizado minha ida para a região e sabia que eu voltaria do local só quando o caso estivesse encerrado, sempre que eu conseguia entrar numa área onde existia cobertura do sinal da minha operadora telefônica, encaminhava uma mensagem ao Governador dando notícias do grupo.

SECRETARIA DA CASA MILITAR DE GOIÁS

PARA QUE ENTENDAM, a Secretaria da Casa Militar de Goiás é uma pasta que tem como missão dar proteção ao Governador e ao Vice-Governador bem como às respectivas famílias. E ainda zelar pelos palácios e pelas residências oficiais, além de administrar os meios de transportes e os deslocamentos de tais autoridades. Essas responsabilidades são definidas pela lei nº 20.491, de 25 de junho de 2019, que alterou o decreto nº 8.431, de 17 de agosto de 2015, e o regulamento por ele aprovado.

PARA REFLETIR

Missão dada é missão cumprida! Cumpra as missões que Deus coloca em seu coração. Claro que somos policiais preparados e muito bem treinados para assumir qualquer tarefa, mantendo a seriedade e o empenho independentemente do grau de dificuldade da missão.

Mas diante de tudo o que você leu no relato deste livro, o mais importante é que fique claro que quando há fé e confiança no Deus vivo, sentimos mais força e temos paz para tomar decisões que contribuam para o cumprimento da nossa missão.

Que lição você é capaz de tirar a partir da leitura deste livro? O que mais o marcou e o que você pode levar para suas atividades diárias?

"MISSÃO DADA É MISSÃO CUMPRIDA!"

REFERÊNCIAS

BALLONE, G.J. "Transtornos de conduta". Disponível em: www.psiqweb.med.br/conduta.html. Acesso em: 20 mar. 2006.

DODGE, K.A. "The Structure and Function of Reactive and Proactive Aggression". *In*: PEPLER, D.J. & RUBIN, K.H. (eds.). *The Development and Treatment for Childhood Aggression*. Hillsdale: Erlbaum, 1991.

FURNHAM, A., RICHARDS, S., RANGEL, L., & JONES, D.N. "Personality and Individual Differences". *In: Measuring Malevolence: Quantitative Issues Surrounding the Dark Triad of Personality*. Amsterdã: Elsevier, 2014.

GUIMARÃES, R. P. G. "O perfil psicológico dos assassinos em série e a investigação criminal". *In: Revista da Escola Superior de Polícia Civil*. Curitiba: ESPC.

MAHEIRIE, K. *Agenor no mundo:* um estudo psicossocial da identidade. Florianópolis: Letras Contemporâneas, 1994.

MILLER, A. *No princípio era a educação*. Trad. Eurides Avance de Souza. São Paulo: Martins Fontes, 2006.

PAULHUS, D.L. "Interpersonal and Intrapsychic Adaptiveness of Trait Self-enhancement: A Mixed Blessing?". *In: Journal of Personality and Social Psychology*. Washington, D.C.: American Psychological Association, 1998.

PAULHUS, D.L.; WILLIAMS, K.M. "The Dark Triad of Personality: Narcissism, Machiavellianism and Psychopathy". *In: Journal of Research in Personality*. Amsterdã: Elsevier, 2002.

ROVANI, M. M. "Leitura corporal do comportamento agressivo e suas consequências". *In*: Volpi, José Henrique, Sandra Mara. *Revista Online Psicologia Corporal*. Curitiba: CR&V, 2014.

TICKLENBERG, J.R, Ochberg F.M. "Patterns of Adolescent Violence". *In*: HAMBURG, D.A.T. & HAMBURG, M.B.T. (eds.), *Biobehavioral Aspects of Aggression*, Nova Iorque: Alan R. Liss, 1981.

WHITE, M. & EPSTON, D. *Medíos Narrativos para Fines Terapéuticos*. Barcelona: Paidós, 1990.

APÊNDICES

DOCUMENTOS FOTOGRÁFICOS 1

FOTO DA CASA COM A QUAL SONHEI E QUE FOI O SINAL PARA A MINHA DECISÃO DE SEGUIR RUMO A COCALZINHO DE GOIÁS. A CAÇADA COMEÇAVA ALI.

QUANDO DE FATO VI AQUELA CASA, UM ARREPIO TOMOU CONTA DO MEU CORPO E COM ELE A CERTEZA DE QUE O FIM ESTAVA PRÓXIMO.

DA ESQUERDA PARA A DIREITA:

3º SARGENTO TEÓFILO PEREIRA E SILVA

SUBTENENTE ALLAN KARDEC EMANUEL FRANCO

SUBTENENTE CLEITON PEREIRA DE PAULA

CAPITÃO BRUNO CESAR DA SILVA E ALVIM

TENENTE-CORONEL EDSON LUIS SOUZA MELO

JAIR (MATEIRO)

SUBTENENTE ARIVAN BATISTA ARANTES

1º SARGENTO JOUBERT TEODORO ALVES DE SOUZA

1º SARGENTO GILBERTO MOREIRA BARRETO JÚNIOR

SUBTENENTE RONYEDER ROGIS SILVA

A CASA COM A MAÇANETA "ELETRIFICADA"
GUARDOU MISTÉRIOS QUE DESVENDAMOS,
UM A UM, AO LONGO DOS DIAS.

CASA EM QUE O IRMÃO DE LÁZARO BARBOSA
MORREU E QUE NOS SERVIU DE ABRIGO DURANTE
ALGUNS DIAS DA OPERAÇÃO.

FORAM 13 DIAS DE BUSCAS INCESSANTES, TODOS À ESPREITA DO CRIMINOSO.

EQUIPE PARTICIPANTE DO CONFRONTO FINAL
NO LOCAL EXATO EM QUE LÁZARO CAIU FERIDO.

FORAM DIVERSAS CAMPANAS MATA ADENTRO, NO RIO E AO LONGO DE BARRANCOS, EM BUSCA DE PISTAS OU DO PRÓPRIO CRIMINOSO.

EQUIPE MINUCIOSAMENTE ESCOLHIDA PARA PARTICIPAR DE TÃO IMPORTANTE MISSÃO.

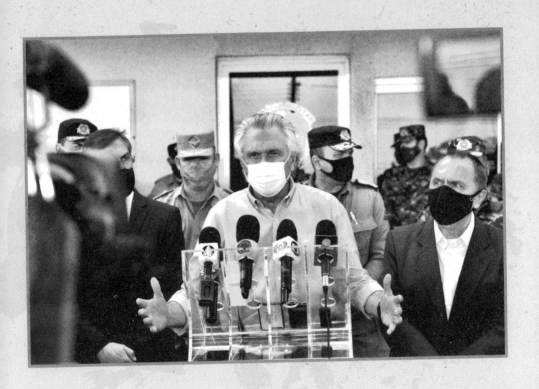

GOVERNADOR DO ESTADO DE GOIÁS, RONALDO CAIADO, EM ENTREVISTA COLETIVA APÓS O DESFECHO DO CASO.

BARBÁRIES EM SÉRIE

2

ALGUNS CRIMES COMETIDOS POR LÁZARO BARBOSA ANTES DA FORÇA-TAREFA

2008 – POVOADO DE MELANCIA

LÁZARO BARBOSA DE Sousa, 32 anos, nasceu em 27 de agosto de 1988 em Barra do Mendes, no interior da Bahia, e era conhecido como "O Carrasco", "Satanista" e "Índio". Segundo documento do Ministério Público do seu estado, ele foi preso em 2008, na cidade natal, acusado de duplo homicídio. Na ocasião, Lázaro já residia em Goiás e estava a passeio no Povoado de Melancia, zona rural de Barra do Mendes, quando assassinou duas pessoas do seu convívio.

Tratava-se de José Carlos Benício de Oliveira e Manoel Desidério Silva, ambos produtores rurais. De acordo com depoimentos colhidos pelo Ministério Público da Bahia, ele matou José Carlos porque esse defendeu uma moça que Lázaro tentou estuprar, e Manoel, por medo de vingança. Após os crimes, se escondeu em um matagal e também invadiu chácaras da região para se alimentar, porém de forma discreta e menos violenta. Permaneceu nesse *modus operandi* por oito dias e depois se entregou voluntariamente à Justiça. Chegou a ser preso, mas fugiu em seguida.

2009 – DISTRITO FEDERAL

EM 2009, LÁZARO foi detido no Complexo Penitenciário da Papuda (CPP), em Brasília, por porte ilegal de arma de fogo, estupro e roubo. Nesse presídio, foi diagnosticado como "psicopata imprevisível", devido à agressividade, impulsividade e instabilidade emocional.

2016 – NOVA FUGA

ANOS DEPOIS, EM 2014, Lázaro teve sua prisão convertida para regime semiaberto; em 2016, sumiu do radar da Justiça na saída de Páscoa e foi considerado foragido.

2018 – ÁGUAS LINDAS DE GOIÁS

NA CIDADE DE Águas Lindas, foi preso pelo Grupo de Investigações de Homicídios em cumprimento a três mandados de prisão: homicídio qualificado, porte ilegal de arma de fogo, roubo e estupro. Novamente, Lázaro conseguiu fugir da cadeia meses após a prisão.

2020 – SANTO ANTÔNIO DO DESCOBERTO

A CERCA DE 180 quilômetros da capital goiana, no município de Santo Antônio do Descoberto, Lázaro invadiu uma chácara e tentou matar um idoso com golpes de machado depois de roubar a propriedade.

26 DE ABRIL DE 2021 – SOL NASCENTE

SOL NASCENTE É uma região administrativa do Distrito Federal, onde Lázaro invadiu uma casa, trancou pai e filho no quarto e teria estuprado uma mulher após levá-la a um matagal.

17 DE MAIO DE 2021 — CEILÂNDIA

INVADIU UMA CHÁCARA, prendeu os homens da casa em um quarto e obrigou as mulheres a ficarem nuas para cozinhar e servir um jantar para ele.

9 DE JUNHO DE 2021 — CEILÂNDIA

ESSE FOI O crime que ficou conhecido nacionalmente e que desencadeou os vinte dias ininterruptos de caçada a Lázaro Barbosa. Em 9 de junho, quarta-feira, ele matou em uma chácara o pai – Cláudio Vidal, 48 anos – e os filhos – Carlos Eduardo Marques Vidal, 21, e Gustavo Marques Vidal, 15.

Também sequestrou a mãe, Cleonice Marques, 43 anos, que foi encontrada morta no sábado, dia 12, com um tiro na cabeça e hematomas nas costas e nádegas, às margens do córrego Coruja, que fica aproximadamente a cinco quilômetros da chácara.

Parentes das vítimas contaram que Cleonice, o marido e os filhos não tinham guerra com ninguém e eram pessoas trabalhadoras. A família administrava uma floricultura perto de casa, a Viveiro Vidal, uma loja especializada na venda de vegetais, frutas, plantas, mudas e vasos.

O que chamou a atenção na investigação foi o fato de o suspeito não ter levado nenhum pertence, uma vez que na casa foram encontrados dinheiro e o carro das vítimas. De acordo com a polícia, esse é um caso de difícil elucidação, pois as pessoas envolvidas foram mortas e não há testemunhas nem imagens de câmeras de segurança. A motivação do crime também é desconhecida.

10 DE JUNHO DE 2021 – CEILÂNDIA

NO DIA SEGUINTE ao triplo homicídio e ao desaparecimento de Cleonice, Lázaro manteve uma refém sob a mira de um revólver por mais de três horas em uma chácara e a obrigou a cozinhar para ele.

11 DE JUNHO DE 2021 – CEILÂNDIA

ROUBOU UM CARRO e fugiu para Cocalzinho de Goiás via BR-070, onde colocou fogo no veículo e continuou a fuga.

12 DE JUNHO DE 2021 – COCALZINHO DE GOIÁS

INVADIU UMA PROPRIEDADE durante a tarde, 13h30, foi até a residência do caseiro, amarrou-o, pegou o dinheiro que ele tinha, 25 reais, e levou o homem como refém até a sede da mesma fazenda. Relatos das vítimas dizem que quando chegou lá, destruiu tudo o que via pela frente na busca por armas e mais dinheiro.

O dono dessa propriedade, que não estava presente no momento do arrombamento, relata ter encontrado o imóvel revirado, com vidros estilhaçados, sofá cortado, TV destruída e algumas garrafas quebradas no chão.

Por não encontrar nada na sede, Lázaro afirmou ao caseiro que iria esperar o pôr do sol para invadir a fazenda vizinha. Em seguida, voltou com o caseiro até a residência dele.

APÊNDICE

"Voltei para minha casa ainda amarrado e assim fiquei até o final da noite. Lázaro me ameaçava o tempo inteiro com uma arma e um facão, dizendo para não olhar no rosto dele porque ele iria me matar. Acabei desmaiando e só acordei quando ele jogou água no meu rosto. Percebi que ele tinha colocado cerca de trinta ovos para cozinhar, comeu muitos, uns vinte, e deixou o restante."

Caseiro feito refém em Cocalzinho

AO ANOITECER, LÁZARO levou o caseiro à fazenda ao lado para utilizá-lo como escudo enquanto efetuava diversos disparos contra três vítimas (pai, filho e um amigo da família) que jantavam na área da casa. Após alvejá-los, o criminoso os colocou deitados no chão, mandou que tirassem a roupa e os agrediu brutalmente, chutando por várias vezes e com muita força a cabeça de um deles, um senhor de 64 anos.

Em seguida ele viu uma senhora, que estava dentro da casa, e ordenou que ela preparasse um jantar para ele. "Lázaro alegou que queria comida quente, feita na hora, não servia a que a família estava comendo", lembra o caseiro. Além disso, determinou que ela ficasse apenas com as roupas íntimas e desferiu vários golpes e socos contra ela. O assassino disse ainda que mataria a todos, exceto uma criança que assistia de perto à cena de barbárie.

Porém, uma atitude salvaria a vida daquela família. Aconteceu que o dono da primeira propriedade invadida por Lázaro, nesse dia, já havia encontrado sua residência revirada e decidido acionar a polícia. Os agentes que se deslocaram ao local, já cientes do sumiço do caseiro, iniciaram as buscas para encontrar o desaparecido e chegaram até a fazenda vizinha.

Por volta das 20h40, os militares se aproximaram da casa onde as vítimas estavam sob a mira do criminoso e iniciou-se uma troca de tiros. Contudo, Lázaro fugiu pelos fundos da fazenda e escondeu-se na mata levando arma, munição e dinheiro roubados nessa última propriedade. Uma das vítimas baleadas conta em detalhes os momentos de terror que viveu:

> "Lázaro chegou, prendeu os cachorros em um quartinho abaixo da caixa d'água para não sermos alertados da sua presença e depois se aproximou da área já atirando. A primeira frase que ele disse foi: 'Hoje vai morrer todo mundo'. Meu pai se assustou e disse: 'O que é isso, cidadão?', e levou dois tiros. Mesmo caído, Lázaro ainda deu um terceiro tiro nele. Corri para tentar fazer alguma coisa pra nos defender e também fui atingido. Em seguida, meu amigo recebeu um disparo. Ele atirou em todos os homens para nos incapacitar e impedir qualquer resistência.
>
> Ele era violentíssimo e imprevisível. Nós apanhamos muito, muito, muito. Ele pisou tanto na cabeça do meu pai que o deixou inconsciente e sangrando no chão. Eu nunca vi alguém tão cruel

APÊNDICE

daquele jeito. Para mim, era o próprio diabo encarnado. Além dos disparos e das muitas agressões em todos nós, inclusive na minha mãe, ele também tinha dois galões cheios de gasolina, que usou para nos ameaçar. Fui obrigado a falar onde a arma que guardava na fazenda (sic), e quando ele a achou, voltou e a encostou em um olho meu, ao mesmo tempo em que tocou o revólver dele no meu outro olho. Ele dizia que precisava me matar para que eu não fosse atrás dele. Pedi que ele se acalmasse porque eu não iria fazer nada. Eu tentava a todo o momento fixar a atenção dele em mim para que ele parasse de machucar minha família. Esforçava-me para me movimentar, porém, por causa do tiro, eu levantava e caía.

A noite de terror ainda não havia acabado, de repente ele passou a pedir dinheiro. O problema é que eu não tenho costume de andar com dinheiro no bolso, muito menos quando vou para a fazenda. Juntei as poucas forças que eu tinha para arrumar alguns trocados e no total não deu nem cem reais. Isso fez com que ele ficasse mais irado ainda: 'Como você não traz dinheiro pra roça?', ele questionou. 'O último lugar que eu preciso de dinheiro é na roça', respondi. Quando terminei de falar, ele me deu um tapa tão forte na minha orelha esquerda que ela ficou inchada e deformada por um tempo. Ele também deu tiros dentro da casa com a arma que estava guardada na fazenda, destruiu o celular novo da minha mãe e danificou a cama.

Depois pediu comida e minha mãe ofereceu o jantar que estávamos comendo. Ele a agrediu e disse que não queria 'resto'. Então ela foi até a geladeira pegar uma carne e Lázaro bateu nela novamente com muita força, fazendo com que ela fosse arremessada longe. Nesse momento, visualizei algumas luzes chegando ao nosso terreno. Ele percebeu que era a polícia, pegou a minha arma e começou a atirar para o lado de fora. Recolheu um galão de gasolina e simplesmente sumiu. Se os policiais tivessem demorado mais, eu acredito que ele teria terminado o que começou, se é que me entende.

A polícia se aproximou, fez algumas perguntas e providenciou o socorro. Fomos levados primeiro para Cocalzinho e depois para Anápolis, onde meu pai e eu formos (sic) operados. Meu pai teve que fazer uma reconstrução do crânio e saiu da cirurgia diretamente para UTI, onde ficou entubado (sic) e em coma por oito dias. Minha mãe apanhou muito e teve o braço fraturado.

Fiz uma segunda cirurgia e passei a usar bolsa de colostomia. Fiquei dez dias na UTI, tive infecção generalizada, desidratação, anemia aguda e só não morri porque Deus não quis. Hoje, toda a mi-

APÊNDICE

nha família faz tratamento psicológico e não quer visitar a propriedade de maneira alguma. Decidimos que vamos vendê-la. Meu pai chora praticamente todos os dias e está em uma cadeira de rodas. Minha mãe não sai de casa para nada. Minha esposa, que não estava presente no dia, também não quer saber de fazenda. E meu filhinho, que viu tudo, está traumatizado ao extremo.

Meus pais não têm a menor condição nem de falar sobre o assunto. Além disso, há o sentimento de inutilidade, vergonha e culpa. Fico me perguntando por que eu estava naquela chácara com os meus pais justamente naquele dia, sem a chance de defendê-los. Espero que fiquemos bem, que a próxima cirurgia que eu fizer me livre da colostomia e que meu pai volte a caminhar sem ajuda de andador ou cadeira de rodas. Mas, daqui para frente, tudo é incerteza."

Depoimento de um dos homens baleados por Lázaro na altura do abdômen. Foi brutalmente agredido e viu seu pai, seu amigo e sua mãe sofrerem com inimaginável violência.

CERCA DE DUAS horas mais tarde, 22h10, Lázaro entrou em outra residência e efetuou diversos disparos contra um homem, que conseguiu fugir rapidamente para procurar ajuda. Quando essa vítima finalmente pôde retornar para sua casa, encontrou-a tomada pelas chamas.

13 DE JUNHO DE 2021 — BR-070

ENTRE COCALZINHO DE Goiás e Edilândia, sentido Distrito Federal, Lázaro fugiu com um veículo furtado de uma das fazendas da região. Ao avistar o bloqueio policial montado na BR-070, próximo ao trevo de acesso a Edilândia, abandonou o veículo e fugiu para um matagal. No carro, os policiais encontraram um carregador de arma de fogo do tipo pistola.

O COMPORTAMENTO DE LÁZARO   3

ESTE CONTEÚDO, EM especial, foi escrito com auxílio do psicólogo criminal da Superintendência de Polícia Técnico--Científica da Secretaria de Segurança de Goiás, Leonardo Ferreira Faria. Ele é mestre em ciências criminológicas-forenses, especialista em neuropsicologia, criminologia e psicologia jurídica.

A análise a seguir tem como objetivo expor uma observação do comportamento criminal presente nos atos promovidos por Lázaro Barbosa e, ainda, apresentar algumas constatações acerca dos depoimentos dados por vítimas do criminoso. Esta observação não é um diagnóstico psicológico do indivíduo, mas uma interpretação de comportamento e narrativa.

Antes que notem as repetições da palavra "violência" neste trecho do livro, é preciso explicar a você, caro leitor, que esse efeito se dará em razão das várias linhas de análises dos motivos ou naturezas do emprego do uso intencional de força, ou ameaça, que tem como resultado algum tipo de dano a uma pessoa.

UMA VISÃO PSICOLÓGICA DAS CAUSAS DA VIOLÊNCIA

PARA QUE O assunto seja entendido em sua gama e complexidade, é preciso explicar as causas mais comuns de tal. Assim sendo, levando-se em consideração as análises efetuadas ao longo de estudos pela perspectiva psicológica, as motivações mais comuns para a violência podem ser vistas como tentativas inadequadas de controlar as emoções.

Não são raras as vezes em que esse meio é usado por um indivíduo para expressar, com destruição, os sentimentos de raiva, frustração ou tristeza. Em outros momentos, o comportamento violento pode ser considerado como uma forma de retaliação. Existem também aqueles que a utilizam como recurso de promover a represália contra alguém ou um grupo, em resposta a algo que foi interpretado como prejudicial.

Outra análise aplicada ao comportamento violento é o entendimento de tal conduta como um reflexo de uma aprendizagem social. A violência torna-se, então, assimilada como uma forma "apropriada" de se comportar.

À luz do entendimento psicológico, é evidente que os indivíduos que agem violentamente negligenciam o comportamento mais saudável e as formas mais seguras de expressão para lidar com suas emoções, ou para atender às suas necessidades. Por vezes vemos pessoas que optam por praticar a violência como um meio de manipular os outros, tendo como objetivo o controle sobre uma situação.

Em nossos estudos, encontramos pessoas com comportamento violento que atribuem como causa de seus atos as experiências de terem sido vitimadas, como em situações de maus tratos e abusos – físico, psicológico e sexual – e negligência por parte de familiares. Existem casos em que os indivíduos possuem falsas crenças de que intimidar os outros lhes trará respeito, ou acreditam que o uso da violência resolverá seus problemas.

É importante reforçar que as ações violentas, entretanto, geralmente funcionam contra o indivíduo que as pratica, gerando, por vezes, a perda do respeito das pessoas que o cercam, ou até mesmo seu isolamento do convívio social, por ser considerado perigoso.

Os estudos desse tipo de ciência psicológica evidenciam que, com o tempo, a violência e o comportamento destrutivo tendem a aumentar quando não são tratados. Existem, no entanto, sinais que podem ajudar a identificar pessoas que possuem características de comportamento de "violência potencial" ou de "violência imediata".

Os autores Ticklenberg e Ochberg (1981) classificaram a violência criminal em adultos como:

I – Violência instrumental, que é motivada por um desejo consciente de eliminar a vítima.

II – Violência emocional, que é caracterizada pela impulsividade agressiva gerada por raiva ou medo extremos.

III – Assassinato cometido no decorrer de outro crime.

IV – Violência bizarra, crimes insanos, psicopáticos.

V – Violência dissocial, quando crimes são cometidos em gangues. Nessas situações o criminoso percebe seu ato como legítimo, já que possui aprovação de grupo. Esta classificação evidencia determinados comportamentos representativos de violência como: portar arma, prazer em machucar animais, fazer ameaças ou planos para ferir outras pessoas, uso de álcool e drogas.

O comportamento violento também pode ser categorizado de acordo com a motivação. A "violência reativa", ou "emocional", por exemplo, habitualmente envolve a expressão de raiva, um desejo hostil de machucar alguém, que surge em resposta a uma provocação percebida. A "violência proativa", ou "instrumental", entretanto, é mais calculada e frequentemente executada na expectativa de alguma recompensa.

O psicólogo americano Kenneth Dodge constatou que esses dois tipos de violência envolvem estados fisiológicos distintos. A pessoa que se envolve em uma situação de "violência reativa" experimenta uma maior excitação do sistema nervoso autônomo, ou seja, aumento da frequência cardíaca e respiratória e do suor. Já o indivíduo que comete um ato de "violência proativa" conserva uma baixa excitação autônoma.

Outro método de categorizar o comportamento violento envolve a distinção entre "violência predatória" e "afetiva". Neste caso, a "violência predatória" dispõe de atos planejados de força hostil. A "violência afetiva", por outro lado, é mais impulsiva e não planejada.

APÊNDICE

Além desses padrões apresentados, outros tipos de violência foram sugeridos, incluindo a "violência irritável", que é motivada pela frustração, e a "violência territorial", que é provocada pela intrusão no território ou espaço percebido de alguém.

ANÁLISE DE DEPOIMENTOS

É CONVENIENTE EXPLICAR que o comportamento humano, bem como as reações pessoais diante de determinadas situações, e os processos mentais são bases de uma ciência que analisa esses fatores citados. Esse estudo é realizado pela psicologia, que examina as emoções, as experiências do ser humano com o mundo, as introspecções, a percepção humana. A observação científica vai para além desses aspectos, obviamente.

A agressividade é considerada um distúrbio quando o comportamento se caracterizar por ataque, destruição e/ou hostilidade. Para a ciência psicológica, entender os sentimentos de uma pessoa é uma tarefa difícil, visto que as atitudes e as oscilações de humor podem ter razões conflitantes, sensações agradáveis, ou não necessariamente estarem ligadas à situação que suscitou tal reação.

O indivíduo que sofre do transtorno agressivo apresenta crueldade evidenciada contra outras pessoas e/ou animais, violência física, homicídio, violação dos direitos dos outros e das normas ou regras que a sociedade implantou. Parece haver um círculo vicioso: transtornos de conduta, prejuízos sócio-ocupacionais, repressões (BALLONE, 2003).

Diante do exposto, é conveniente notar a postura agressiva de Lázaro diante das vítimas que ficavam sob seu domínio. Em um dos relatos feitos à mídia, a família que morava numa fazenda na zona rural de Edilândia, distrito de Cocalzinho de Goiás, feita refém pelo criminoso, mostra a frieza e a crueldade do indivíduo.

Ao chegar à propriedade, Lázaro manteve a mãe, o pai e a filha por quase duas horas sob seu poder. O indivíduo levou a família para o rio, que ficava a vários metros ao fundo da sede, e deu ordem aos reféns, verbalizadas em tom de raiva e ameaça.

> "Nós fomos para o córrego. Aí ele: 'Dentro d'água, dentro d'água, e não é pra pisar na areia. Se pisar na areia, vocês morrem'. Para não deixar rastro, né? Ele falou assim para mim: 'Não reage, não, senão o senhor morre'."
>
> *Entrevista do homem feito refém com a família,*
> *concedida à imprensa.*

APÊNDICE

O COMPORTAMENTO AGRESSIVO e ameaçador mostra claramente a indiferença pelos sentimentos alheios, atitude irresponsável e desrespeitosa pelas normas sociais. O que implica dizer que, devido à falta de estrutura de caráter, o criminoso não possui nenhum tipo de lealdade a quaisquer princípios, a não ser aos próprios desejos.

ANÁLISE DO COMPORTAMENTO

O SER HUMANO, a partir das relações que experimenta no mundo, produz as próprias significações e, como ser significante, vivencia esta sua condição de singularizar o próprio tempo e, assim, projeta seus anseios sobre o mundo que o circunda. As significações humanas, aliadas às próprias ações, criam um sujeito que vai sendo revelado por perspectivas. Em cada ato considerado, em cada gesto ou significação, o ser humano vai se revelando como um todo.

"[Em] Cada perspectiva considerada, encontramos aí o homem total objetivando-se num determinado sujeito." (MAHEIRIE, 1994 – acréscimo nosso)

TODO PROCESSO DE construção do ser humano é realizado no coletivo e, por ser uma obra de autoria coletiva, em maior ou em menor medida, a história pode lhe escapar. Assim, inserido nesse cenário de múltiplas singularidades que se entrecruzam, o ser humano realiza a sua história e a dos outros na mesma medida em que é realizado por essa história, sendo, por isso, produto e produtor simultaneamente.

O fato de alguém ser violento em meio social não autoriza a suposição de que não sinta medo, mesmo que tais atos violentos estejam sendo efetuados com frieza e temeridade. A manifestação do sentimento de medo tem como objetivo afastá-lo de situações potencialmente perigosas e que representem ameaça para a sua sobrevivência. Nesse contexto, é possível contrastar as questões relativas ao período em que Lázaro estava em fuga e com poucos recursos na mata.

O arrependimento, aliado à culpa, pode ocorrer em qualquer momento na vida de uma pessoa e corresponde a uma resposta vital para o nosso crescimento. Haja vista que nos auxilia no que é certo e no que é errado, assim como na busca da reparação frente ao prejuízo causado. Parafraseando Sigmund Freud, o arrependimento/culpa é um sinal de que o indivíduo começou a assumir a responsabilidade por si mesmo, por seus sentimentos, por seus conflitos e por decisões difíceis que ele tenha que tomar. A culpa é a forma que temos de reconhecer que não cumprimos nossos próprios valores e padrões.

A atitude de buscar apoio para se munir ainda mais mostra que Lázaro simplesmente matou as pessoas com agressividade e violência de um animal que está querendo defender o seu território, ou buscando proteção e alimen-

APÊNDICE

to – típico de um comportamento instintivo. O que, mais uma vez, é demonstrativo da manifestação de um perfil narcísico, dominado por um sentimento de egoísmo em que "tudo gira em torno do seu centro", e a ele tudo é permitido (PAULHUS, 1998).

É importante citar a teoria *The Dark Triad*, que em sua tradução literal significa "A tríade negra". A tríade negra é um conceito construído dentro da literatura da psicologia social e tem por base três elementos relacionados a traços de personalidade, a citar: o maquiavelismo, o narcisismo e a psicopatia (PAULHUS & WILLIAMS, 2002). Indivíduos com tais características comportam-se de modo a usar táticas agressivas, tais como a manipulação psicológica e/ou a ameaça de violência física, para conseguirem atingir seus objetivos. Em suas crenças, há uma percepção de serem superiores e convictos de serem merecedores de algo tipicamente especial (FURNHAM, RICHARDS, RANGEL & JONES, 2014).

O RELACIONAMENTO COM O PAI

DURANTE O PERÍODO de operação, o pai de Lázaro concedeu diversas entrevistas à imprensa. Em uma delas, lamentou pelo que o filho estava fazendo e fez questão de contar que não tinha nenhum tipo de contato com ele.

> "Peço desculpa por ser pai de uma pessoa desequilibrada, assassina, e que considero um monstro."
>
> *Entrevista concedida pelo pai de Lázaro*
> *à imprensa nacional, no dia 21/06/2021.*

O PAI DO criminoso ainda falou que estava há seis anos sem ver o filho porque as últimas notícias que teve foram de que Lázaro tinha falado para amigos que o mataria. Essa exposição do sentimento que tinha pelo próprio pai é outro fato de destaque. Demonstra a raiva de forma explícita, ao relatar que já teve vontade de o matar. Por isso é importante analisar o relato conforme as teorias do desenvolvimento humano, que explicam os sentimentos dos filhos com relação aos genitores e a forma como os pais interagem com seus filhos. Tal relacionamento, diante dos estudos comportamentais, pode fazer a diferença quando esses filhos se tornarem adultos.

Os pais influenciam muito na conduta das crianças por meio da disciplina como a maneira de ensinar o caráter, o autocontrole e o comportamento aceitável. O modo antissocial ou agressivo das crianças é influenciado pelo tratamento dado pelos pais, bem como por sua observação de modelos na vida real e na mídia.

A psicanalista Alice Miller retrata, em sua obra *No princípio era a educação* (2006), o conceito de "pedagogia perniciosa", o qual sugere que determinados comportamentos emitidos pelas figuras parentais podem prejudicar a saúde psicológica das crianças e podem ser transmitidos às gerações futuras. Nesse caso, a intolerância e a violência são aprendidas. Isso impede que a autoestima do indivíduo seja mais bem organizada. Assim, quando a criança é bem tratada por seus genitores, desenvolve aspectos de tolerância, benevolência e uma melhor estrutura de sua personalidade.

Quando avaliamos a possibilidade de reincidência de prática criminal, necessitamos buscar auxílio na criminologia, ciência que pesquisa as causas e concausas da criminalidade. A criminologia define que existem diversas variáveis que conduzem o indivíduo a abster-se de cometer crimes. Os pesquisadores dessa área revelam também que há uma série de fatores correlacionados ao aumento da probabilidade de um indivíduo se envolver em comportamento criminoso. Alguns desses fatores estão relacionados ao próprio indivíduo, como os traços psicológicos, as características e a personalidade. Outros, às circunstâncias que cercam o indivíduo, como pressão dos pares, normas relacionadas à atividade criminosa e fatores situacionais que podem provocar uma resposta criminosa.

Lázaro chegou a expor que foi injustiçado em ter sido julgado por crimes que não cometeu, porém não fez qualquer citação objetiva sobre quais seriam essas injustiças. Ao mesmo tempo, Lázaro afirmou que precisava de apoio para se munir, com o objetivo explícito de cometer novos delitos.

Oportunidades para o crime existem ao redor de todos nós, porém um indivíduo já motivado a cometer um crime está mais propenso a agir diante de tais oportunidades. Dessa forma, toda a análise realizada no *modus operandi* de Lázaro perante os crimes cometidos, antes e durante a sua perseguição, revela o seu sentimento pessoal relativo ao descontentamento e à incapacidade de conviver de forma parcimoniosa com o meio social.

Não podemos prever com certeza se um indivíduo como o Lázaro poderia deixar de cometer crimes, caso estivesse vivo. Podemos fornecer uma análise dos fatores de risco ligados a uma própria fisiologia neural e em sua concepção social. A previsão da criminalidade futura é importante para a nossa sociedade, principalmente do ponto de vista da prevenção, por meio das instituições de segurança pública e de justiça. Quanto maior a nossa compreensão do que causa e provoca o comportamento criminoso, mais bem posicionados estaremos em promover mudanças sociais e, dessa forma, buscar o bem-estar coletivo.

EQUIPE DA SECRETARIA DA CASA MILITAR DE GOIÁS

4.

DEPOIMENTOS

COMO NARREI ANTERIORMENTE, nenhum dos policiais que participaram comigo da exitosa missão de capturar Lázaro Barbosa foi escalado, coagido ou obrigado, pelo contrário, ao serem chamados, pude perceber um enorme entusiasmo. Realmente estavam todos dispostos a se doar para prestar auxílio às forças de segurança pública já empenhadas na captura. Trago para vocês o depoimento de cada um deles.

"Estava visitando minha mãe quando meu telefone tocou. Era o Subtenente De Paula me avisando que partiríamos para Cocalzinho em breve. Vibrei com a notícia. Fiquei extremamente feliz e grato por ter sido escolhido em meio a tantos outros policiais qualificados. Um verdadeiro prestígio!"

1º Sargento Joubert

"A situação parecia crítica para os moradores daquela região. Tínhamos pouca informação e um sentimento de agonia tomava conta de nós. Como policiais, temos o juramento de proteger e servir a sociedade goiana, então, fomos com o intuito de oferecer um pouco de alívio às famílias com medo. Existia uma forte convicção de que iríamos ajudar de fato."

1º Sargento Barreto

"Senti que estava sendo convocado por Deus para uma batalha, para ajudar a solucionar uma crise e proteger as pessoas de bem que ali moravam. Fomos com muita fé de que Deus nos faria voltar exitosos desse desafio."

Subtenente Arantes

"Saber que eu iria participar da procura foi uma imensa satisfação. Minha expectativa era capturar Lázaro ou, pelo menos, contribuir para que isso acontecesse."

Subtenente De Paula

"A partir do momento em que começou toda a veiculação midiática, foi surgindo entre os policiais da Casa Militar, que gostam da operacionalidade, o desejo de ir. Nós vivemos o dia a dia com vontade de ver a sociedade protegida, contudo, sabíamos que a possibilidade de atuarmos nesse caso era mínima. Na época, lembro que o Tenente-Coronel Edson comentou sobre o assunto e vários policiais se prontificaram imediatamente a ir, inclusive eu. Quando finalmente pude arrumar minhas coisas para a viagem, fiquei muito animado."

3º Sargento Teófilo

APÊNDICE

"Como cheguei de uma escala de madrugada, ainda não havia conversado com meus filhos e nem com a minha esposa, então acordei e fui brincar com eles para matar a saudade. Quando o telefone tocou, fiquei um pouco pensativo, mas, ao mesmo tempo, a vontade de participar era grande. Saí de casa com uma promessa aos meus filhos: 'O papai não vai demorar'."

3º Sargento Teófilo

UNIDADES ESPECIALIZADAS E SUAS COMPETÊNCIAS

5

4.
5
6

DURANTE O LIVRO foram citadas, por vezes, várias unidades especializadas que integraram a força-tarefa para capturar o fugitivo Lázaro Barbosa. Trago para vocês algumas informações adicionais sobre a competência de algumas das principais tropas das forças policiais de Goiás.

COMANDO DE MISSÕES ESPECIAIS (CME)

O COMANDO DE Missões Especiais – CME – foi criado com o objetivo de centralizar o comando dos principais batalhões especializados da Polícia Militar de Goiás. O CME é subordinado diretamente ao Comando-Geral da PMGO e tem a missão de planejar, coordenar, executar e fiscalizar todas as ações de natureza especial da PM. Subordinado a ele, estão:

BATALHÃO ESPECIALIZADO DE POLICIAMENTO EM EVENTOS (BEPE)

A UNIDADE FOI criada com objetivo de ação em eventos e praças desportivas. Mas quando designada, pelo preparo e habilidade, realiza apoio em ações operacionais com o objetivo de prevenir, identificar e reprimir crimes, atos infracionais e atos lesivos à segurança pública.

BATALHÃO DE CHOQUE (BPMCHOQUE)

O BATALHÃO É preparado para eventos de natureza crítica, como: controle de distúrbios civis, reintegração de posse, rebeliões em presídios, policiamento em praça desportiva e grandes eventos em todo o Estado. O BPMChoque ainda realiza o patrulhamento tático especializado, dando apoio às unidades policiais militares de área.

BATALHÃO DE OPERAÇÕES ESPECIAIS (BOPE)

A UNIDADE POSSUI especialização técnica para atender ocorrências de alta complexidade e incursões em locais como matas fechadas. O batalhão foi idealizado como uma especializada em resposta especial para as intervenções em eventos críticos, principalmente nos que houver envolvimento de reféns.

BATALHÃO DE POLICIAMENTO COM CÃES (BPCÃES)

A UNIDADE POSSUI efetivo especializado e treinado para realizar operações com apoio de cães farejadores para detecção de armas, munições, entorpecentes e explosivos. O trabalho inclui, ainda, a busca e captura de infratores e pessoas desaparecidas, além de revista de presídios e emprego de cães de proteção em praças desportivas para contenção de torcidas.

GRUPO DE RADIOPATRULHA AÉREA (GRAER)

A UNIDADE CONTA com veículos para deslocamento terrestre, mas o destaque é a ação aérea. O helicóptero, tripulado por policiais militares, sendo dois pilotos e quatro tripulantes, é empregado em patrulhamento preventivo e operacional. Atua como unidade de policiamento aéreo por todo o Estado, onde haja qualquer tipo de risco à segurança pública. Em apoio ao policiamento ostensivo geral, atua como plataforma de observação e intervenção direta em ocorrência ou como unidade de transporte.

REGIMENTO DE POLÍCIA MONTADA (RPMONT. OU CAVALARIA)

É UMA UNIDADE responsável por executar o trabalho de policiamento operacional, em que os militares se deslocam montados a cavalo e realizam atividades tipicamente da corporação: promovendo a ordem pública e a segurança do cidadão. Especialmente na operação de captura a Lázaro Barbosa, teve uma importante participação, tendo em vista que as buscas aconteciam predominantemente na zona rural de Cocalzinho de Goiás e seus distritos.

COMANDO DE OPERAÇÕES DO CERRADO (COC)

O COMANDO DE Operações do Cerrado (COC) é o sistematizador de todas as atividades dos setores que compõem sua estrutura organizacional e possui subordinação direta ao Comando Geral. O COC é responsável, principalmente, pelo policiamento ambiental, rural e de divisas na preservação e manutenção da ordem pública em todo o Estado. Subordinado a ele, estão:

BATALHÃO DE POLÍCIA MILITAR RURAL (BPMRURAL)

A UNIDADE ESPECIALIZADA tem como missão primordial a execução do policiamento rural de Goiás, o que potencializou as ações operacionais no campo em todo o Estado. O batalhão possui um Centro Integrado de Comando e Controle, que é pioneiro no país. A central realiza um trabalho de cadastramento das propriedades rurais de Goiás e o monitoramento em tempo real das ocorrências no campo, por meio de equipamentos tecnológicos utilizados pela unidade. O intuito é diminuir o tempo de resposta das equipes em campo e trabalhar com um policiamento de proximidade com os moradores das zonas rurais para estreitar o vínculo de confiança e buscar efetividade nas ações de prevenção criminal primária.

COMANDO DE OPERAÇÕES DE DIVISAS (COD)

A UNIDADE É uma especializada que tem como foco as ações efetivas de policiamento preventivo e repressivo nas divisas do Estado de Goiás, combatendo ações criminosas de maior potencial ofensivo como: tráfico de armas, tráfico de drogas, roubo de cargas, roubo a instituições bancárias, contrabando, descaminho entre outros.

Além dessas unidades citadas, que são subordinadas a um comando operacional específico, ainda compuseram a operação as seguintes especializadas:

BATALHÃO DE RONDAS OSTENSIVAS TÁTICAS METROPOLITANAS (ROTAM)

A UNIDADE POSSUI características peculiares em razão da aplicação de uma doutrina singularizada em abordagens mais rápidas e enérgicas em casos de segurança mais graves, como roubo de bancos e veículos. O batalhão é formado por policiais com treinamento rigoroso e diferenciado para realizar abordagens com viaturas e armamento mais pesado em situações nas quais o policiamento de área não obtém os mesmos resultados.

COMPANHIA DE POLICIAMENTO ESPECIALIZADO (CPE)

É UMA UNIDADE pelo patrulhamento tático motorizado e pela pronta resposta em crimes graves e complexos, ocorrências de vulto e pelo apoio às equipes policiais de área. As CPEs são subordinadas ao comando regional da cidade em que são sediadas. Para compor a tropa, os policiais passam por um curso de Patrulhamento Tático (CPT), que possui uma doutrina operacional inspirada nos preceitos aplicados por grandes batalhões como Choque e ROTAM.

GRUPO TÁTICO 3 (GT3) DA POLÍCIA CIVIL DE GOIÁS

O GRUPO ESPECIALIZADO da Polícia Civil foi criado com o objetivo de apoiar as ações técnicas e operacionais da instituição em ações contra quadrilhas do crime organizado, ou na repressão a marginais de alta periculosidade. Entre as designações da especializada estão atuações em ocorrências policiais com reféns bem como a participação em diligências de outras forças policiais quando solicitada.

SERVIÇO AÉREO DO ESTADO DE GOIÁS (SAEG)

O SAEG É composto por policiais militares de diversas unidades especializadas, colocados à disposição da Secretaria de Estado da Casa Militar, como previsto em lei. Embora tenha atribuições administrativas relacionadas ao transporte aéreo e terrestre do executivo estadual, observando as normas regulamentares específicas, o SAEG teve a autorização para o emprego de suas habilidades concedida pelo Governador Ronaldo Caiado.

COMANDO DE OPERAÇÕES TÁTICAS (COT) DA POLÍCIA FEDERAL

O GRUPO ESPECIALIZADO é a principal unidade tática de elite do departamento de Polícia Federal do Brasil. O COT foi idealizado com o objetivo de promover amplo amparo policial no âmbito federal, oferecendo respostas rápidas e eficazes a atentados e incidentes contra a vida e a segurança dos brasileiros.

HÁ 25 ANOS... 6

567

A CAÇADA A Lázaro Barbosa aconteceu mais de duas décadas depois do emblemático caso de Leonardo Rodrigues Pareja, conhecido como Pareja. Até então tinha sido o caso de busca de maior complexidade e notoriedade acontecido na história de Goiás. O relato de um bandido ousado e que usava técnicas de sedução foi o mais popular por 25 anos. Ele comandou sequestro, assalto e até rebelião no antigo Centro Penitenciário de Goiás (CEPAIGO), atualmente nomeado como Penitenciária Odenir Guimarães (POG), em Aparecida de Goiânia.

A história de Pareja durou de setembro de 1995 a dezembro de 1996. Nesse período o bandido cometeu vários crimes, carregando com ele a frieza, a insolência e a indiferença pelo temor que causava por onde passava. A visibilidade das ações de Pareja começou quando assaltou um hotel em Feira de Santana (BA) e fez uma jovem de 16 anos como refém por três dias. A menina era sobrinha do então senador Antônio Carlos Magalhães. O criminoso ganhou os holofotes pela característica audaciosa: ele negociava com os policiais coberto por lençóis. A intenção era impossibilitar a atuação de atiradores de elite.

Após libertar a refém, passou mais de um mês fugindo da polícia. Notícias da época deram conta de que ele havia passado por três estados brasileiros. Em cada canto por onde passava, tinha a petulância de conceder entrevistas para rádios e televisões. O deboche e a ousadia de desafiar a polícia viraram marcas de Pareja.

Ele chegou a ser preso em Goiás. No histórico de crimes da extensa ficha criminal de Leonardo Pareja, outra situação que ganhou destaque foi a rebelião de presos que aconteceu no CEPAIGO. Ele e mais 43 detentos aproveitaram que a unidade estava sendo vistoriada por um grupo de autoridades – composto por coronéis da PM, delegados, promotores e o presidente do Tribunal de Justiça de Goiás da época (desembargador Homero Sabino de Freitas) – e fizeram todos eles reféns por seis dias.

Vários momentos da rebelião e da fuga dos bandidos foram transmitidos ao vivo, em rede nacional. O deboche era a marca de Leonardo Pareja. Relatos feitos à época trazem a público que o criminoso chegou a parar o carro, que usava para fugir e que também transportava reféns, num bar de Goiânia. Pareja comprou cigarros, bebidas e seguiu fugindo. Um dia depois foi recapturado pela polícia num posto de combustível em Porangatu, região norte de Goiás.

Em dezembro de 1996, ele foi assassinado por cinco detentos do presídio em que estava, sob a justificativa de ter 'cagoetado'* um plano de fuga.

---

* Palavra usada no mundo do crime, que significa delatar alguém ou algum plano.

OVELHAS, LOBOS E CÃES PASTORES 7

678

DECERTO, OUTROS AUTORES trouxeram em suas publicações a comparação entre ovelhas, lobos e cães pastores, porém me sinto desafiado a trazer essa metáfora para os acontecimentos que sucederam o caso Lázaro Barbosa, tendo em vista um olhar peculiar que tenho sobre isso. Em grande medida de tudo o que foi falado até agora, remonta o processo de espírito que permeia cada ser humano na Terra. Situações diversas levam-nos a nos tornar uma dessas figuras representativas. Quem é você? Ovelha, lobo ou cão pastor?

Eu tenho minha resposta e compartilho com meu caro leitor um ponto de vista que foi tecido durante minha vivência policial e na operação em Cocalzinho, na qual nossa contagem regressiva evidenciou a maneira como são diferenciadas as atitudes da ovelha, do lobo e do cão pastor.

O cão pastor tem a tarefa de permanecer atento às fraquezas das ovelhas, essas que vivem um dilema moral entre o bem e o mal, essas que permanecem imóveis quando o lobo bate à sua porta, são incapazes de buscar autoproteção. Sempre amedrontada, a ovelha – pelo simples fato de saber que os lobos existem e não perdoarão sua vida, não terão pudor sobre suas crenças, agirão com demasiada violência e não pouparão suas maldades – clama pela presença do cão pastor.

As ovelhas fazem parte de um conjunto da sociedade que entende que o mal existe, que o lobo sonda constantemente para infringir o bem, roubar posses e ceifar vidas, mas, donas de suas próprias razões, elas esperam que esse nunca chegue à sua presença, pois acreditam na sorte, no improvável, ou que um dia esse lobo venha a fazer o bem e se apegam à falsa ideia de que o malfeitor possa, sem explicação qualquer ou motivação, perder o gosto pelo sangue e pela carne de suas vítimas.

Não entendem a atitude do cão pastor de permanecer em eterna vigília, de estar sempre pronto para o combate, de empunhar uma arma e trazê-la sempre junto ao seu corpo. Não há caminho fácil para o cão pastor, não há possibilidade de não agir frente à adversidade imposta. Ele sabe que a conquista da liberdade, mesmo que pela força, é um atributo destinado aos fortes, e sua predestinação é a possibilidade de combater quantas vezes forem necessárias o algoz lobo.

Uma força de vontade invencível guia os passos dos cães pastores, dia após dia, seja no dia mais quente ou na noite mais fria, seu moral inabalável é superior ao tempo. Atentos à situação, tivemos que buscar a ajuda de outros cães pastores, homens comuns de temperamento brando, mas profundos conhecedores da região e experimentados no relevo e no terreno, que usaram sua experiência adquirida no rastreio do lobo e, ansiosos como parte da matilha, aguardavam o dia em que o bem venceria o mal.

Tanto o cão pastor quanto a ovelha, nós os trazemos dentro de nós. As pessoas notadamente agem sob o império de um e de outro. Todavia, eles estão ligados a nossas decisões, e não ao nosso caráter. Nos nossos mais profundos

APÊNDICE

sentimentos e ações, eles travam um eterno combate e permanecem em dualidade constante.

Ocultados sob múltiplas formas, uma delas a de policiais, o cão pastor – com seu aguerrimento, coragem e força – mantém a balança entre o bem e o mal estável, pois lhe desagrada imensamente ver essa medida tender para o lado contrário ao seu, incomoda-lhe sobremaneira saber que a ovelha anda em terreno hostil e não há como defendê-la.

Mas posso dizer que em certas ocasiões na vida, somos solicitados a agir em nosso estado natural, e nesse momento poderemos saber o que realmente somos, se ovelha, cão pastor ou lobo. O cão pastor, em tal circunstância, é impulsionado a tomar decisões que não podem ser compreendidas pelas ovelhas no campo racional. Quando todos fogem do perigo, ele faz o contrário. Pessoas assim não temem o momento seguinte, não sofrem com o desconhecido, não sentem medo diante dos desafios; ao contrário, estão sempre em exposição com os atos de coragem, buscam o limite, anseiam pelo próximo passo, usam as ferramentas justas e leais para colocar o fim no mal e no seu portador. Não há caminhos intransponíveis nem impossíveis para elas, pois sabem que não importa a dificuldade, o ímpeto do desejo de romper qualquer obstáculo as fará seguir sempre em frente.

Certo dia, durante a operação, quando mais uma vez iniciamos nossas orações, sabíamos que estávamos perto de um desfecho na caçada. Alimentávamos nossa alma e reforçávamos nosso espírito valente, entoávamos, em nosso coração, a canção dos bravos e guerreiros, em nosso semblante não havia medo, nem raiva, estávamos em destemor.

Tínhamos a certeza da vitória, empunhávamos nossas armas e seguíamos o plano de encontrar aquele que, agindo como lobo, desferiu no coração do Centro-Oeste brasileiro cenas de terror e maldade gratuitas, agiu sem pudor contra mulheres, assassinou crianças inocentes, desfez lares felizes. Não havia piedade para com suas vítimas, o instinto do mal precisava de uma força contrária na mesma intensidade, para dar fim ao reinado da força pelo terror.

Nos momentos de decisão, em que se faz necessária a altivez do cão pastor, imune ao medo, mas não ao sofrimento de todas as ovelhas que sofreram nas mãos de lobos, ele cumpre seu desiderato, não importando se a ovelha gosta ou não da sua existência, dos seus modos ou da sua energia na resolução dos conflitos. Ele estará lá.

O cão pastor conhece sua realidade, aceita o que não pode mudar, mas é beligerante naquilo que pode. Não abaixa seu escudo para nunca ser surpreendido pelo lobo que o espreita, dissimula e às vezes até se passa por ovelha. Seu tirocínio aguçado percebe intenções malignas na linguagem corporal do lobo, seu olhar atento não deixa os detalhes importantes passarem despercebidos, sua coragem acima da média não o deixa recuar ante a adversidade. Compreende quando as ovelhas, em sua grande maioria, o discriminam, enquadram, fazem juízo de valor de suas ações, pois sabe que no fantástico mundo em que vivem, as ovelhas tentam

APÊNDICE

acobertar a verdadeira face dos lobos em busca de uma falsa sensação de segurança.

Assim foram os vários dias que antecederam o encerramento da missão, o exercício da certeza era o remédio para todas as incertezas que se apresentavam, não ter notícias do paradeiro do lobo, nem de testemunhas oculares que pudessem falar de sua localização, nos fazia exercitar ao extremo a observação dos vestígios que o terreno apresentava. Mas sabedores de que o lobo espreita, malicioso, e esconde sua real intenção que é de enfraquecer a vontade tenaz do cão pastor, renovávamos constantemente o desejo pela vitória. O golpe decisivo viria da persistência que os homens sob meu comando estariam dispostos e teimosos a manter, não há glória sem lutas, não há vitória sem renúncias, não há crescimento sem dor.

No decorrer dos dias, os homens que ali estavam comigo descobriram o contexto do porquê de estarem vivendo aquilo, aprofundaram-se progressivamente na compreensão de que não haveria outra solução senão a permanência incólume de suas presenças, pois sabiam que o caminho trilhado durante o passado os levara àquele momento.

Sentiam uma dezena de sentimentos, e em seus corpos já pesavam as intempéries do terreno, mas o cão pastor é resiliente ao desconforto e já foi protagonista em várias batalhas. Através de suas mãos muita paz foi conquistada, muitos anos de guerra urbana diária lhe deram a experiência necessária para saber que o lobo o teme e o evitará a todo custo.

Contudo, apesar de todos os sinais apresentados parecerem indicar que não haveria uma solução eficaz do ponto de vista da segurança pública, além das várias ovelhas que nunca estiveram em algum tipo de combate dizerem que as forças de segurança trabalhavam sem planejamento, que usávamos táticas inadequadas, que agíamos de modo obsoleto deixando o malfeitor parecer mais perspicaz e esperto, não era bem assim que se passavam as coisas.

O histórico da equipe de homens que se embrenharam na captura de Lázaro Barbosa cabe tranquilamente na minha definição de cães pastores. São homens que já sentiram todas as intempéries do serviço policial, salvaram pessoas, combateram com outras, viram amigos tombando pelo caminho nas mãos de lobos, mas nunca se permitiram agir como ovelhas, não importasse quão difíceis fossem as situações, quão fria ou escura fosse a noite, suas atitudes sempre demonstraram o aspecto aguerrido daquele que está disposto a sacrificar sua vida para salvar qualquer ovelha do sanguinário lobo.

Sabíamos também que não éramos os únicos cães pastores, havia muitos de nossa linhagem, todos tinham o mesmo objetivo, mas sabíamos que o que faria a diferença seria quem conseguiria, por mais tempo, permanecer no foco da missão de caça ao lobo. Os cães pastores sofreram todos os efeitos climáticos do ambiente: fome, sede e frio, mas a moral que sustentava sua vontade de fazer o bem, essa nunca foi abalada, essa permanecia firme em terreno de boa base,

APÊNDICE

essa os fazia pressentir o sabor da vitória para aqueles que guardam a fé.

Inconciliáveis são os cães pastores e os lobos, a salvação do sistema depende disso, pois – em eterna vigilância – o cão guarda a lei, a norma, o tangível e o intangível, o sagrado e a fé, impõe sobre o mal a certeza de que ele não prevalecerá, de que a espada da justiça o alcançará. Não importa onde esteja, o cão pastor a buscará, independentemente dos custos e dos riscos envolvidos. Sua intuição de justiça é uma inspiração divina. É a força viva que produz suas ações.

As tradições que unem os cães pastores são intrínsecas àqueles que se normatizam por códigos morais inflexíveis quanto ao fato de combaterem e regularem a maldade humana. Arvorados em símbolos que congregam os que acreditam que não há resolução fácil no combate aos lobos, e que sangue muitas vezes terá que ser derramado para que o mal sucumba. E quando, no exato momento do combate, o olhar do cão pastor se concentra no lobo, tudo se torna um vaticínio completo cercado da aura do combate. O fim do bestial lobo se aproxima.

No fim, os cães pastores elevam seus pensamentos às alturas, congregam entre si uma fantástica experiência com o Criador, fortalecendo-se de sua essência e dos seus mistérios e fecundando por mais uma vez a esperança de que vencerão a guerra contra o mal. Na parte mais íntima do clamor ao divino, renovam o compromisso com suas crenças.

Em meu sonho, como já disse anteriormente, vi a missão e o destino que nos esperava. Não tive dúvidas sobre o que fazer naquele exato momento. Fomos conduzidos, eu e meus irmãos de armas, ao epicentro dos fatos. Anunciada a minha vontade, outros irmãos dela compartilharam. Todos sabiam que possíveis sacrifícios poderiam ser cobrados, ou pelo sanguinário lobo ou pela especificidade da missão, ainda assim tal proposição foi acolhida com alegria e entusiasmo pelos corajosos cães pastores. Uma força invisível nos uniu e fomos consumidos pelo desejo ardente da conquista.

Somente o cão pastor se mostra digno de tal missão. Na esteira das dificuldades ele exalta a coragem dos fortes, apazigua os conflitos e traz solução onde não haveria. Em suma, está acima das faculdades comuns do homem médio. Eis sua recompensa: homem de fé, tome esta coroa da vitória, coloque-a sobre a sua cabeça e reine sobre lobos e ovelhas.

ORAÇÃO DO BATALHÃO DE ROTAM §

SENHOR DEUS,

Vós que tudo comandais,

Vós que guiais teus soldados,

Pelos caminhos da dignidade e da vitória.

Dai-nos a força e a coragem para lutar,

A perseverança dos bravos,

A humildade dos heróis

E a fé que nos torna invencíveis.

Concedei-nos, também, Senhor,

No fragor do combate,

Quando grande for a tormenta em nossos corações,

A tua incomparável honra,

A tua infinita justiça

E a tua fiel lealdade.

Para que o mal sucumba

Para sempre

Diante de nós.

Amém!

ROTAM! ROTAM! ROTAM!

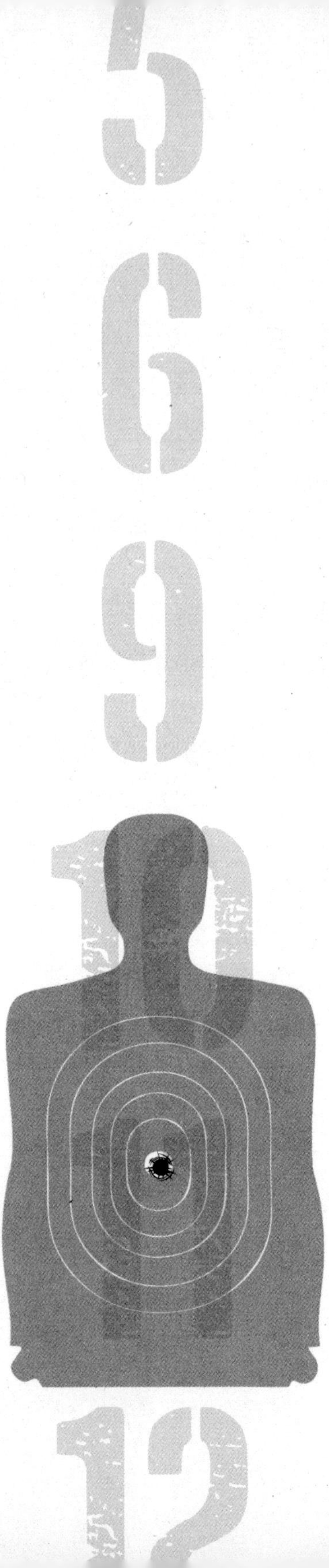
5
6
9
10
12

CONFIRA NOSSOS LANÇAMENTOS AQUI!

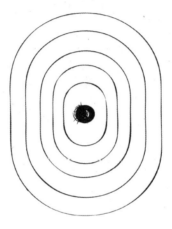

Formato fechado 160x230mm e com mancha de 100x170mm. Foram utilizados papéis *offwhite* 70g/m² para o miolo e cartão 300g/m² para a capa. O texto foi composto em Goudy Old Style 12/18, as citações em Averia Serif Libre 11,5/16, os destaques em Octin Spraypaint 12/18 e os títulos em Octin Spraypaint 36/43.

Camelot
EDITORA